G000065964

ESTATE PUBLICATIONS
Bridewell House,
Tenterden,Kent.
TN30 6EP
Tel: 01580 764225

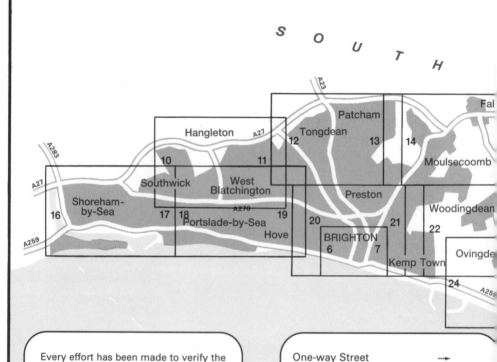

S O U T H

Fal

Patcham
Tongdean
Hangleton | A27 | 12 | 13 | 14
10 | 11
Moulsecoomb
A283
West
A27 | Southwick | Blatchington
Shoreham-
by-Sea | Preston
16 | 17 | 18 | 19 | Woodingdean
A259 | Portslade-by-Sea | 20 | 21 | 22
Hove
BRIGHTON | Ovingde
6 | 7
Kemp Town | 24 | A25

Every effort has been made to verify the
accuracy of information in this book
but the publishers cannot accept
responsibility for expense or loss caused
by any error or omission. Information
that will be of assistance to the user of
the maps will be welcomed.

The representation of a road, track or
footpath on the maps in this atlas is no
evidence of the existence of a right of way.

One-way Street	→
Car Park	P
Place of Worship	+
Post Office	●
Public Convenience	C
Pedestrianized	

Scale of street plans: 4 inches to 1 mile
Unless otherwise stated

Street plans prepared and published by ESTATE PUBLICATIONS, Bridewell House,
TENTERDEN, KENT, and based upon the ORDNANCE SURVEY mapping with the
permission of The Controller of H. M. Stationery Office.

The publishers acknowledge the co-operation of the local
authorities of towns represented in this atlas.

E S T A T E   P U B L I C A T I O N S

BRIGHTON

LEWES   NEWHAVEN   SEAFORD
SHOREHAM   HOVE

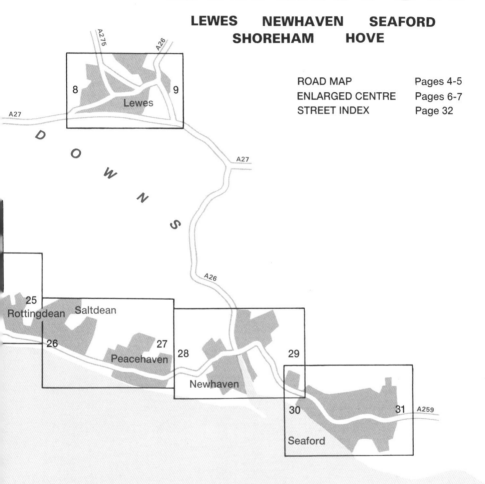

ROAD MAP	Pages 4-5
ENLARGED CENTRE	Pages 6-7
STREET INDEX	Page 32

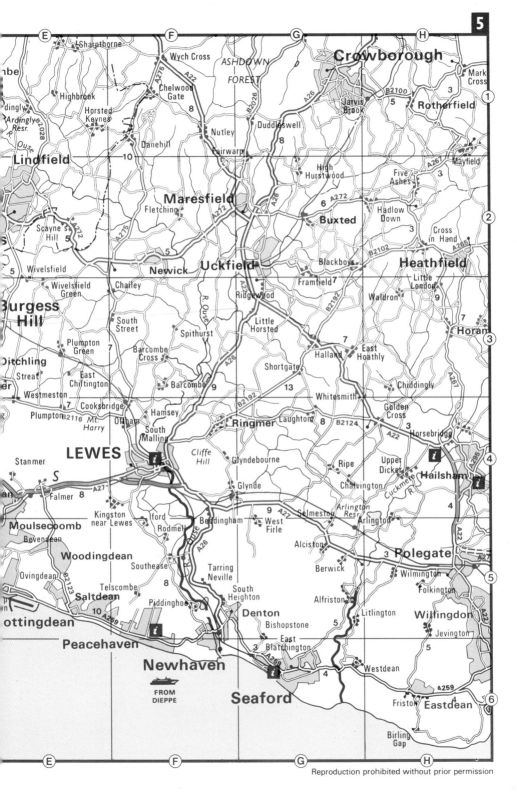

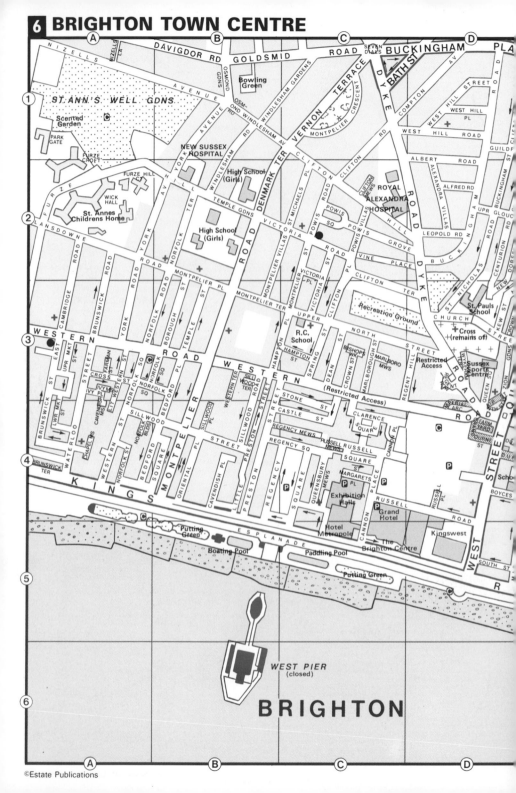

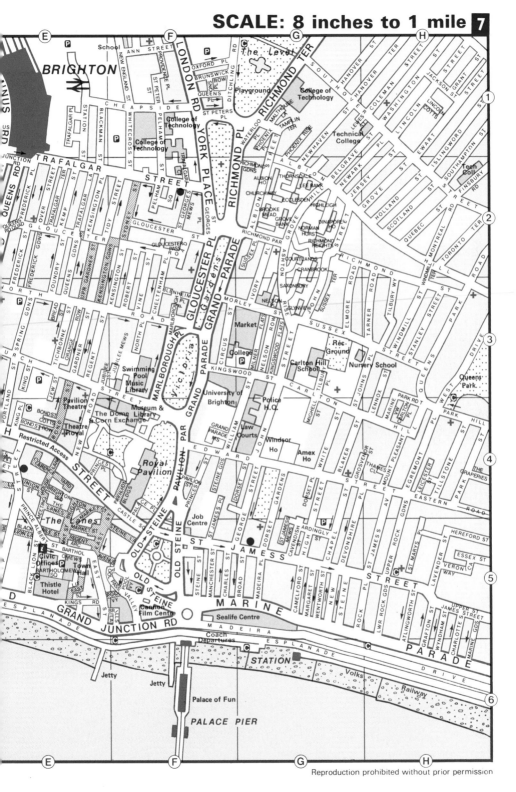

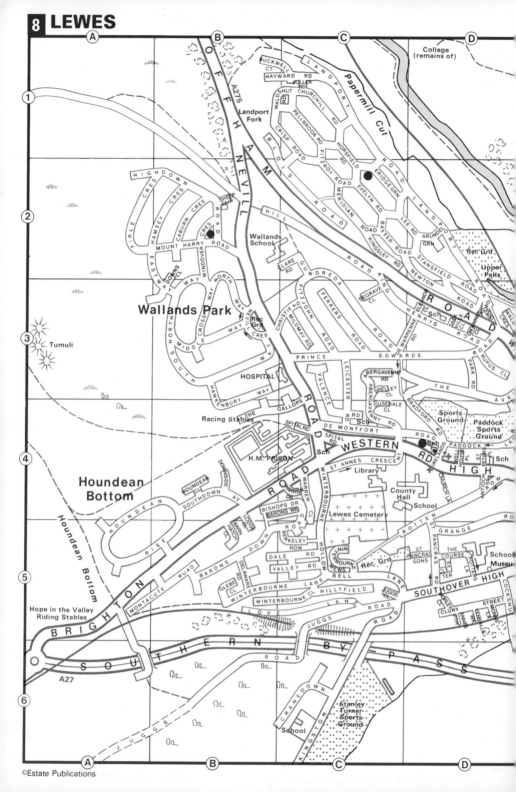

8 LEWES

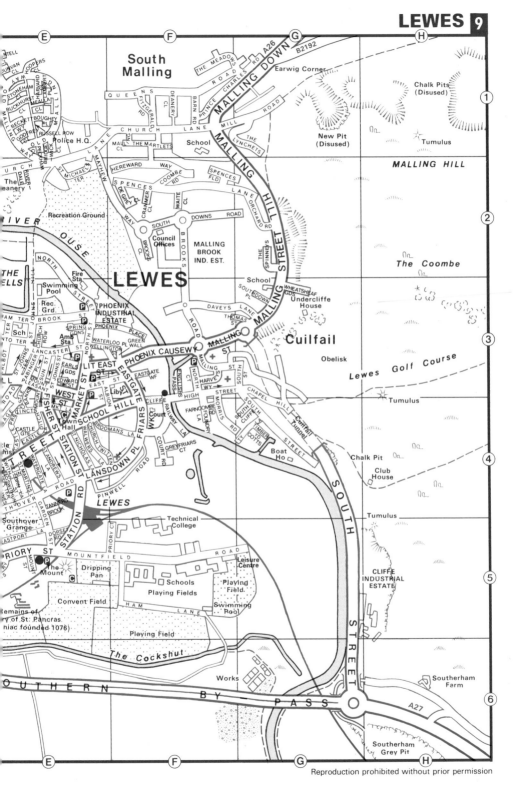

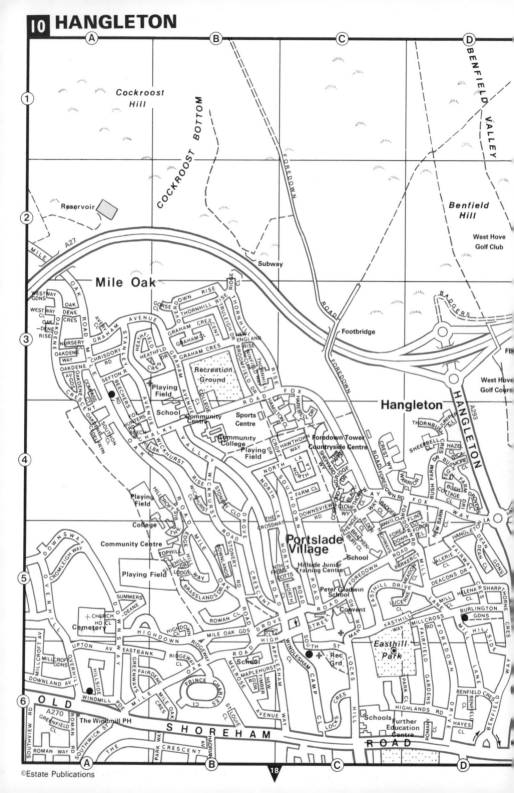

©Estate Publications

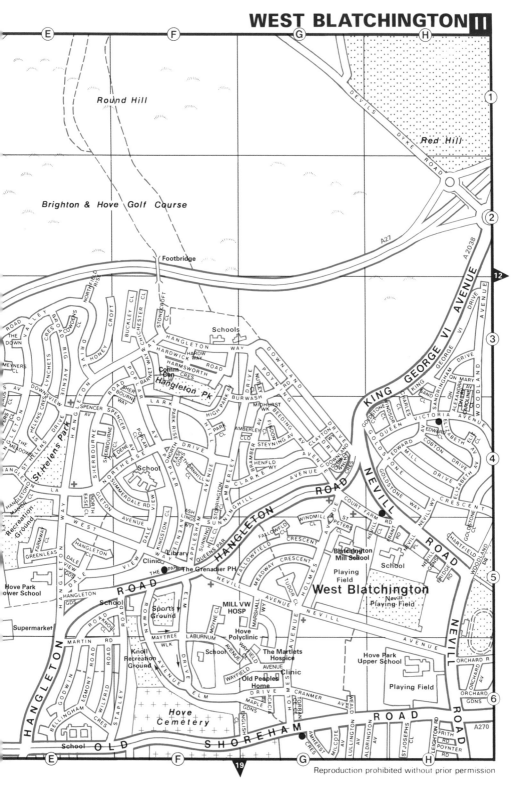

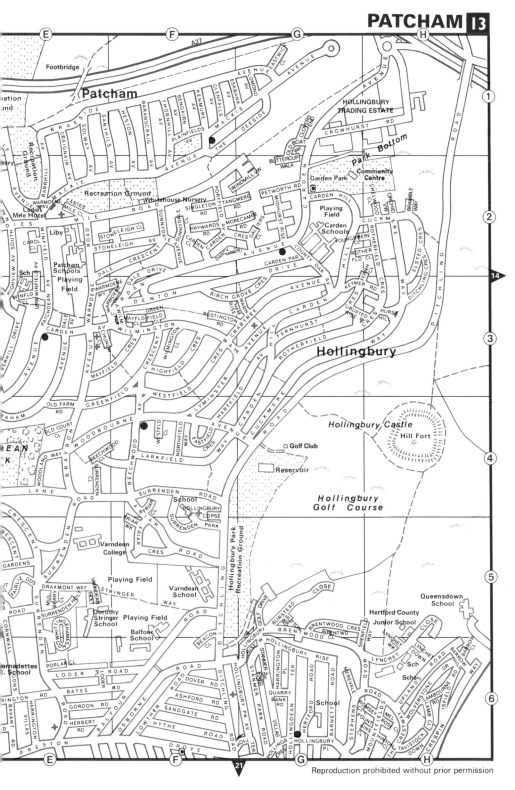

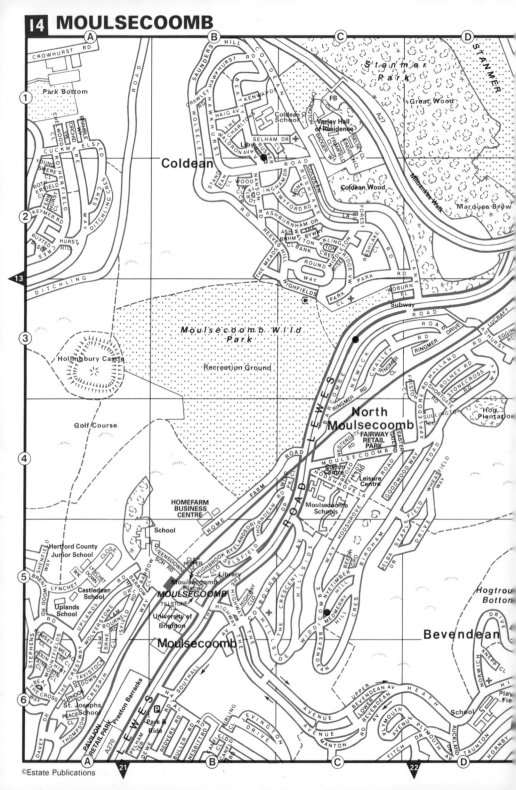

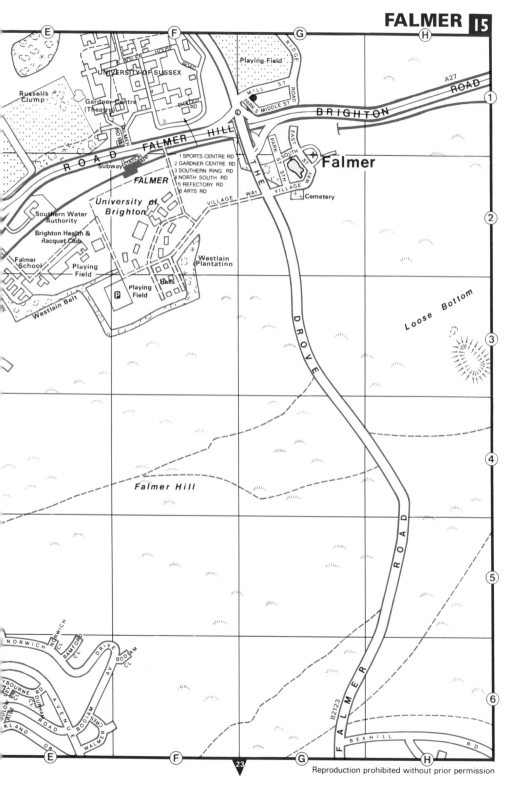

FALMER 15

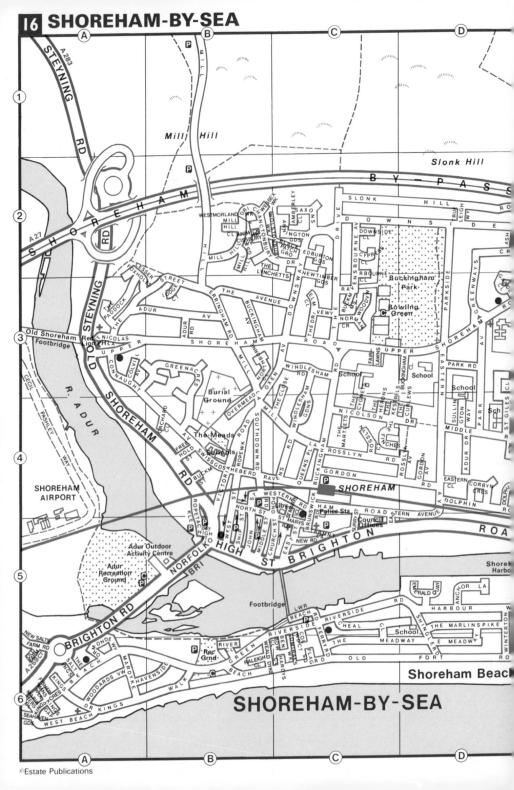

SHOREHAM-BY-SEA

Mill Hill

Slonk Hill

SHOREHAM BY-PASS

SHOREHAM AIRPORT

Buckingham Park

Bowling Green

Old Shoreham Footbridge

Burial Ground

The Meads

Adur Outdoor Activity Centre

Adur Recreation Ground

Shoreham Harbour

Footbridge

Shoreham Beach

SHOREHAM-BY-SEA

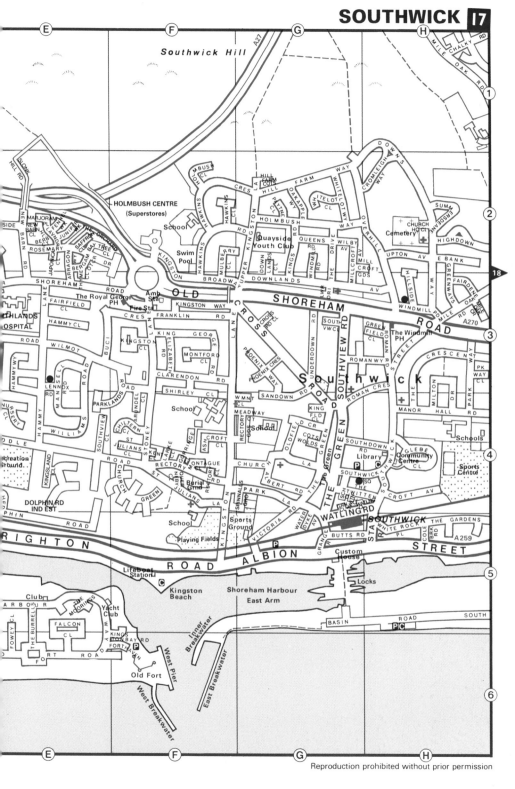

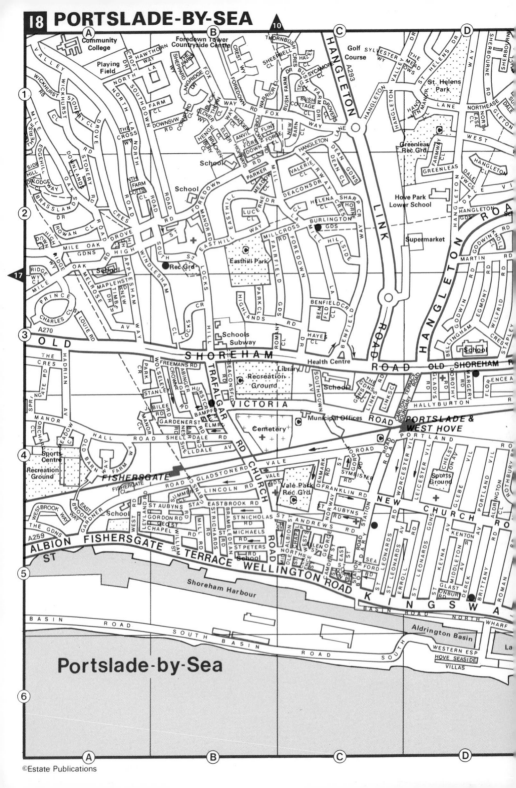

18 PORTSLADE-BY-SEA

Portslade-by-Sea

©Estate Publications

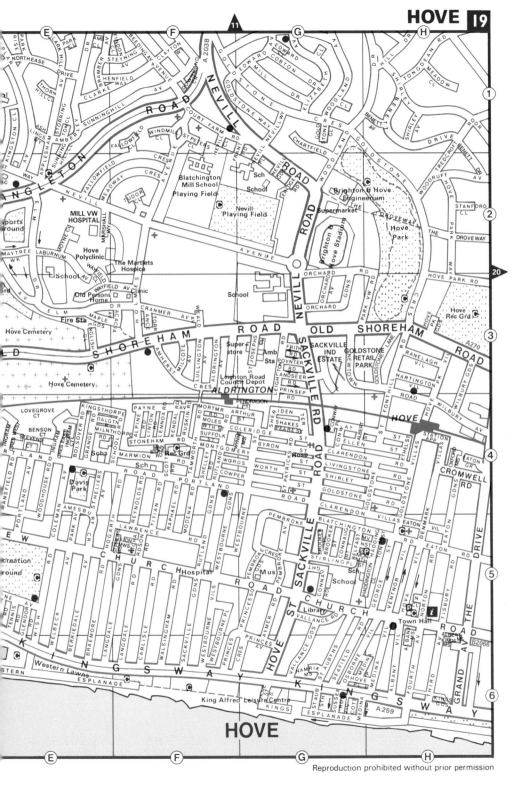

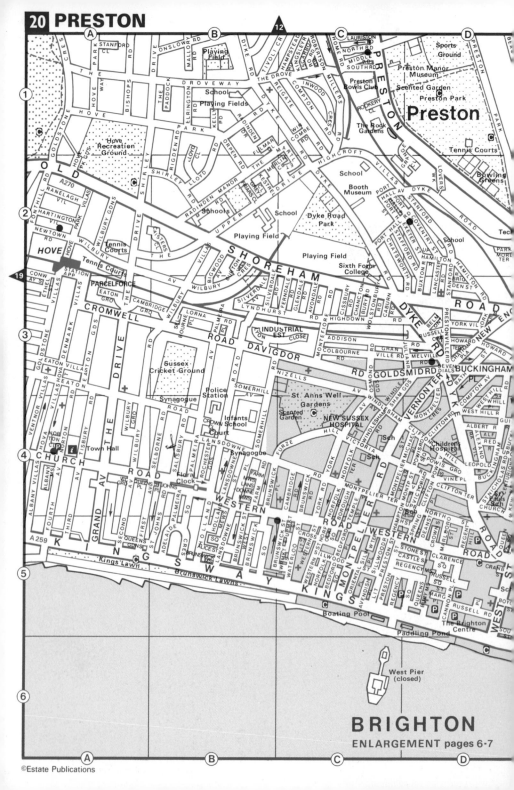

BRIGHTON

ENLARGEMENT pages 6·7

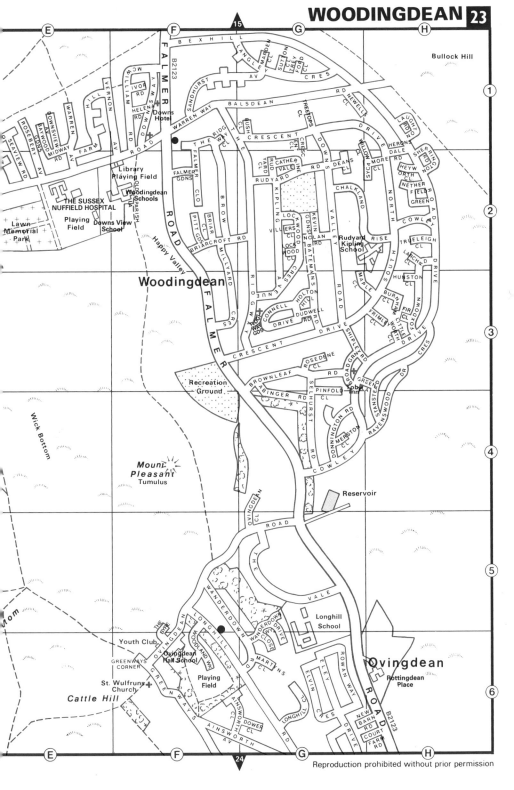

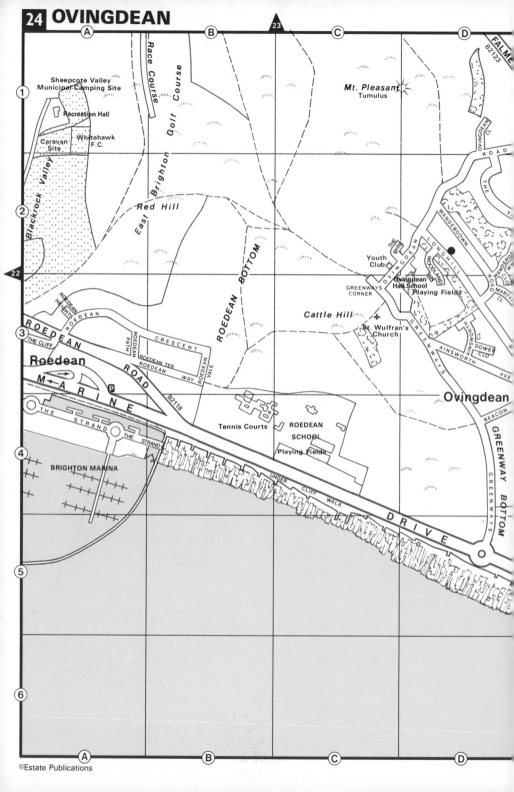

Reservoir

Balsdean Farm

High Hill

Rottingdean Place

hill High hool

Beacon Hill

Rottingdean Youth Centre Cricket & Football Ground

Playing Field

ST. DUNSTANS HABILITATION CENTRE HOSPITAL

Bowls Green

Rottingdean
Rottingdean School

Windmill
Miniature Golf Course

School
Library & Museum

Playing Field

Saltdean Park

Miniature Golf Course
Park & Ride

Library

Lido

Primary School

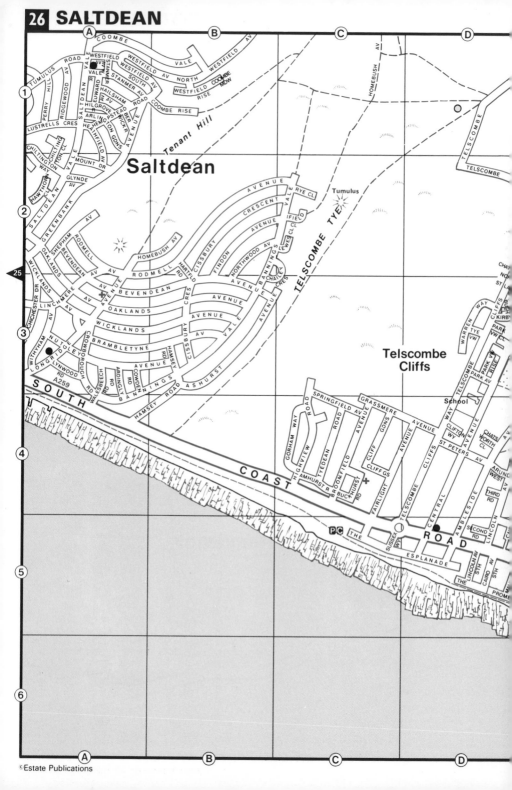

A B C D

1

Piddinghoe

School
Rec Grd

L E W E S   C O U R T   F A R M'S

BROOKSIDE

RIVER OUSE

NEW P
NEW
NEW R IVER SIDE

N O R E   D O W N

2

27

Cemetery
PIDDINGHOE MEAD
Bollen's Bush

ROAD
BUSH ROAD

LEWES AVENUE

Rec Grd

North Quay

Denton Island

NORTH QUAY

3

Peacehaven Golf Course

N O R T H O A T H D O W N

VALLEY CLOSE
LEE WILLOW WK
WAY
AVENUE
EVELYN RD
MURRAY LAWES RD
HARPERS RD
OYSTER
ELPHICK ROAD
ROBINSON ROAD
OSPREY

FAIRWAY
ANDERSON CL
MAPLE LEAF
METCALFE CL
LADIERRE RD
KENNEDY WY
VALLEY AVENUE
FULLWOOD ROAD
ASH WK
ELM COURT
VALLEY DENE
HAZEL CT
CHESTNUT
LEWIN
THE BRAZEN CL
THE ROTHWELL
VALLEY RD
THE FAIRWAY

NORTH WAY
SOUTH WAY
BRIDGE ST
CRESCENT
LEWES RD
FORT RD
CHAPEL ST
P Swim Pool
P Pol Sta
NEWFIELD
Newfield
WYLM WK
THE ROSE
ROSE WK CL
Sch
CHURCH HILL
RECTORY CL
CHURCH CL
PINE TREES
SECOND AV
CLOSE
NORMAN RD
SAXON CL
RUSSELLS
MEECHING RD
BAY VUE RD
BROOKS CLOSE
School
FORT ROAD

SOUTH HILL

4

Club House

Meeching Down

CHURCH HILL
UPPR VALLEY RD
VALLEY RD
REDDOWN CL
FIRST AV
THIRD AV
NORTHDOWN ROAD
WESTERN ROAD
AV
HILL CREST RD
HILL CREST ROAD
GENEVA RD
School

LINKS AVENUE
A259
BRIGHTON
MAPLE RD
CHENE
OUTLOOK
BLAKENEY
CREST RD
AVENUE
AVENUE

5

Rushy Hill

Peacehaven Heights

THE HIGHWAY
THE HIGHWAY
RINGMER ROAD
MARINE VW
GIBBON
SOUTHDOWN RD
STH DOWN CL
WILMINGTON RD
PEGLER ROAD
PEVENSEY ROAD
HARBOUR VW RD
MARINE VW
HANSON ROAD
Coast Guard Sta.
QUARRY RD
ROAD
FORT
P Rec Ground

THE PARK RD
THE HILL
THE EAST
CHARLSTON
CUCKMERE
CORNELIUS AV
WEST DEAN AV
CORNELIUS AV

Football Ground

6

Chene Gap

Harbour Heights

School
Playing Field

FARM
COURT
NEWHAVEN
ITS THE DRIVE

Meeching Court Farm

Burrow Head

Castle Hill

A B C D

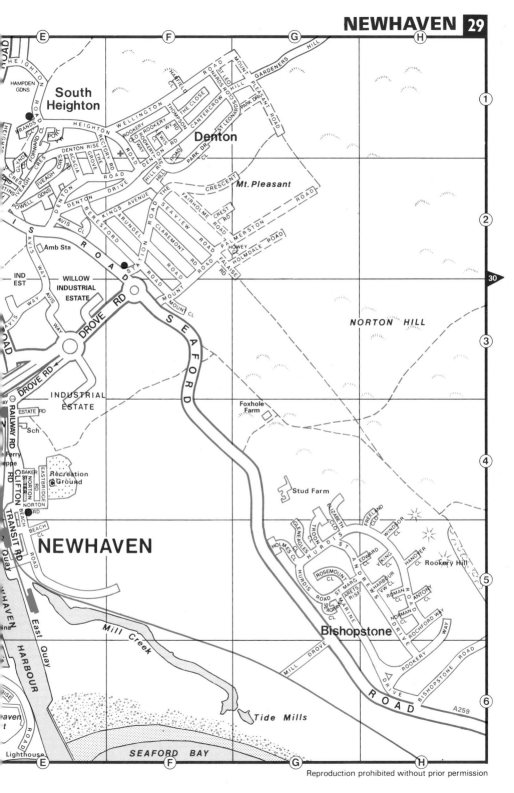

South
Heighton

Denton

Mt. Pleasant

NORTON HILL

WILLOW
INDUSTRIAL
ESTATE

IND
EST

Amb Sta

INDUSTRIAL
ESTATE

Foxhole
Farm

Sch

Ferry
eppe

Recreation
Ground

Stud Farm

NEWHAVEN

Rookery Hill

Bishopstone

East Quay

Mill Creek

HARBOUR

Tide Mills

Lighthouse

SEAFORD BAY

A259

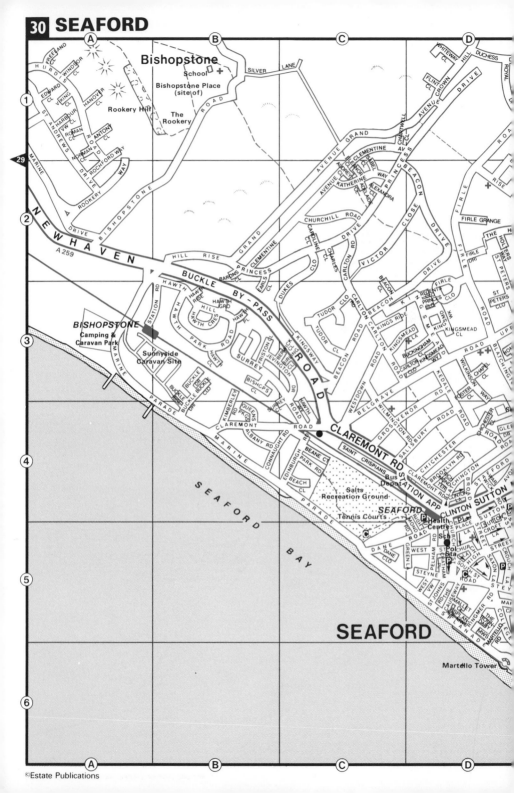

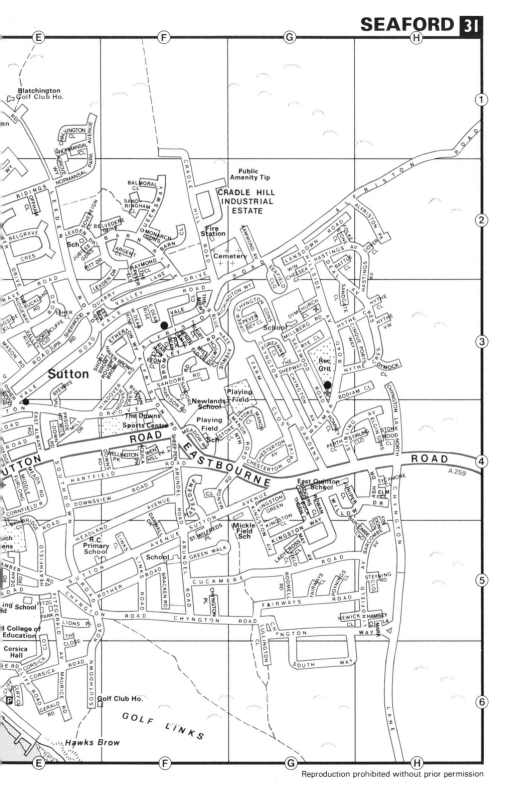

A - Z INDEX TO STREETS
with Postcodes

The Index includes some names for which there is insufficient space on the maps. These names are preceded by an * and are followed by the nearest adjoining thoroughfare.

BRIGHTON

Abbey Clo. BN10   27 F3
Abbey Rd. BN2   21 G6
Abbey View. BN10   27 F3
Abbotsbury Clo. BN2   25 H6
Aberdeen Rd. BN2   21 F2
Abinger Rd,
  Portslade. BN41   18 B3
Abinger Rd,
  Woodingdean. BN2   23 G3
Acacia Av. BN3   11 G6
Adams Clo. BN1   21 F1
Addison Rd. BN3   20 C3
Adelaide Cres. BN3   20 B5
Adelaide Sq. BN43   16 D4
Admirals Walk. BN43   16 C6
Adur Av. BN43   16 B3
Adur Dri. BN43   16 D4
Adur Rd. BN43   16 B3
Agnes St. BN2   21 G3
Ainsworth Av. BN2   24 D3
Ainsworth Clo. BN2   24 D3
Air St. BN1   6 D3
Alan Way. BN2   22 C4
Albany Mews. BN3   19 H6
Albany Villas. BN3   19 H6
Albert Mews. BN3   19 H6
Albert Rd. BN1   6 D1
Albert Rd,
  Southwick. BN42   17 G4
Albert St. BN3   19 G4
Albion Hill. BN2   7 G2
Albion House. BN2   7 G2
Albion St. BN2   7 G2
Albion St,
  Portslade. BN41   18 C5
Albion St,
  Southwick. BN42   17 G5
Albourne Clo. BN2   22 B2
Aldrich Clo. BN2   22 C4
Aldrington Av. BN3   19 F3
Aldrington Clo. BN3   18 D4
Alexandra Villas. BN1   6 D2
Alfred Rd. BN1   6 D2
Alfriston Clo. BN2   22 B4
Alice St. BN3   20 B5
Alpine Rd. BN3   19 F4
Amberley Clo,
  Shoreham. BN43   16 C2
Amberley Clo, West
  Blatchington. BN3   11 G4
Amberley Dri. BN3   11 F4
Ambleside Av. BN10   26 D5
Amesbury Cres. BN3   19 E4
Amherst Cres. BN3   19 F3
Amhurst Rd. BN10   26 C4
Anchor Clo. BN43   16 D5
Ann St. BN1   21 E3
Annington Gdns.
  BN43   16 C2
Ansty Clo. BN2   22 B5
Anvil Clo. BN41   10 C5
Anzac Clo. BN10   27 F2
Appledore Rd. BN2   14 D4
Applesham Av. BN3   11 F5
Applesham Way.
  BN41   10 C6
Ardingly Rd. BN2   26 A3
Ardingly St. BN2   7 G5
Argyle Rd. BN1   21 E2
Arlington Cres. BN1   14 C2
Arlington Gdns. BN2   26 A1
Arnold St. BN2   21 G3
Arts Rd. BN1   15 F1
Arthur St. BN3   19 G4
Arundel Clo. BN3   17 F4
Arundel Dri E. BN2   25 H6
Arundel Dri W. BN2   25 H6

*Arundel Mews,
  Arundel Pl. BN2   22 B6
Arundel Pl. BN2   22 B6
Arundel Rd. BN2   22 B6
Arundel Rd,
  Peacehaven. BN10   27 F5
Arundel Rd Central.
  BN10   27 E4
Arundel Rd W. BN10   26 D4
Arundel St. BN2   22 B6
Arundel Ter. BN2   22 B6
Ash Clo. BN3   12 C6
Ashburnham Clo. BN1   14 C2
Ashburnham Dri. BN1   14 B2
Ashcroft Clo. BN43   17 F4
Ashdown Av. BN2   25 G5
Ashdown Rd. BN2   21 F2
Ashford Rd. BN1   13 F6
Ashington Gdns.
  BN10   27 H6
Ashley Clo. BN1   12 D2
Ashlings Way,
  Hangleton. BN3   11 F5
Ashlings Way,
  Shoreham. BN43   16 D2
Ashmore Clo. BN10   27 F2
Ashton Rise. BN2   7 G2
Ashurst Av. BN2   26 B3
Ashurst Rd. BN2   14 D3
Atlingworth St. BN2   7 H5
Attree Dri. BN2   21 G4
Auckland Dri. BN2   22 C1
Audrey Clo. BN1   12 D3
Avenue. BN1   7 E5
Avery Clo. BN41   10 A3
Avondale Rd. BN3   20 C3
Aymer Rd. BN3   19 G5

Baden Rd. BN2   21 H2
Badger Clo. BN41   10 C4
Badger Way. BN1   14 C1
Badgers Field. BN10   27 F3
Badgers Way. BN43   10 D3
Baker St. BN1   21 E3
Balcombe Rd. BN10   27 E4
Balfour Rd. BN1   13 E6
Balsdean Rd. BN2   23 F1
Bamford Clo. BN2   15 E6
Bampfield St. BN42   18 B4
Bankside. BN1   12 C3
Bannings Vale. BN2   26 A4
Baranscraig Av. BN1   13 F1
Barcombe Rd. BN1   14 C4
Barley Clo. BN10   27 E2
Barn Rise. BN1   12 C3
Barnes Rd. BN41   18 B4
Barnet Way. BN3   11 F3
Barnett Rd. BN1   13 G6
Barnfield Gdns. BN2   21 G4
Barrhill Av. BN1   13 E2
Barrow Clo. BN1   14 A5
Barrow Hill. BN1   14 A5
Barrowfield Clo. BN3   12 B6
Barrowfield Dri. BN3   12 C6
Barry Walk. BN2   21 G4
Bartholomew Sq. BN1   7 E5
Bartholomews. BN1   7 E5
Basin Rd. BN41   18 C5
Basin Rd Sth. BN41   17 G5
Batemans Rd. BN2   23 G2
Bates Rd. BN1   13 E6
Bath St. BN1   20 D3
Bavant Rd. BN1   13 E6
Baxter St. BN2   21 G3
Bay Tree Clo. BN43   17 E2
Bayview Rd. BN10   27 H6
Baywood Gdns. BN2   23 E1
Bazehill Rd. BN2   25 F4
Beach Grn. BN43   16 A6
Beach Rd. BN43   16 B6
Beacon Clo. BN1   13 F5
Beacon Hill. BN2   24 D4
Beaconsfield Rd. BN1   21 E2
Beaconsfield Rd
  Portslade. BN41   18 B3
Beaconsfield Vs. BN1   20 D1
Beal Cres. BN2   14 A6
Bear Rd. BN2   21 G2

Beatty Av. BN1   14 B1
Beaufort Ter. BN2   21 G4
Beckley Clo. BN2   22 B5
Bedford Pl. BN1   6 B4
Bedford Sq. BN1   6 A4
Bedford St. BN2   21 G6
Bee Rd. BN10   27 F4
Beech Clo. BN41   10 A4
Beech Gro. BN2   14 C5
Beechers Rd. BN41   10 A3
Beechwood Av. BN1   13 F4
Beechwood Clo. BN1   13 E4
Beeding Av. BN3   11 G4
Belfast St. BN3   19 G5
Belgrave Pl. BN2   21 H6
Belgrave St. BN2   7 G2
Belle Vue Cotts. BN2   22 B2
Belle Vue Gdns. BN2   21 G5
Bellingham Cres. BN3   11 E6
Belmont. BN1   20 D3
Belton Rd. BN2   21 F2
Bembridge St. BN2   21 G2
Benbow Clo. BN43   16 C6
Benett Av. BN3   12 A6
Benett Dri. BN3   12 B6
Benfield Clo. BN41   10 D5
Benfield Cres. BN41   10 D6
Benfield Way. BN41   10 D6
Bengairn Av. BN1   13 F1
*Benham Ct, Kings
  Esplanade. BN3   19 G6
Bennett Rd. BN2   22 B6
Benson Ct. BN3   19 E4
Bentham Rd. BN2   21 G3
Berberis Ct. BN43   17 E2
Beresford Rd. BN2   21 H5
Bergamot Cres. BN43   17 E2
Bernard Pl. BN2   21 G3
Bernard Rd. BN2   21 G3
Berriedale Av. BN3   19 E6
Berry Clo. BN10   26 D3
Berwick Rd. BN2   26 A1
Bevendean Av. BN2   26 A2
Bevendean Cres. BN2   14 C5
Bevendean Rd. BN2   21 H2
Bexhill Rd. BN2   23 F1
Bigwood Av. BN3   20 B2
Biology Rd. BN1   15 F1
Birch Grove Cres. BN1   13 F3
Birdham Rd. BN2   14 C5
Birling Clo. BN2   21 H1
Bishops Rd. BN3   20 A1
Bishops Walk. BN1   6 C3
Bishopstone Dri. BN2   25 G4
Black Lion La. BN1   7 E5
Black Lion St. BN1   7 E5
Blackman St. BN1   7 E1
Blackpatch Gro. BN43   16 C2
Blackthorn Clo,
  Portslade. BN41   10 C4
Blackthorn Clo,
  Withdean. BN1   12 C5
Blaker St. BN2   7 G4
Blatchington Rd. BN3   19 G5
Blenheim Pl. BN1   7 F3
Bloomsbury Pl. BN2   21 G6
Bloomsbury St. BN2   21 G6
Bodiam Av. BN2   15 E6
Bodiam Clo. BN2   15 F6
Boiler House Rd. BN1   15 F1
Bolney Av. BN10   27 F6
Bolney Rd. BN2   14 D3
Bolsover Rd. BN3   19 E4
Bonchurch Rd. BN2   21 G2
Bond St. BN1   7 E4
Bond St Cotts. BN1   7 E4
Bond St Row. BN1   7 E4
Borough St. BN1   6 B3
Borrow King Clo. BN2   22 A1
Boundary Rd,
  Brighton. BN2   22 B6
Boundary Rd,
  Portslade. BN3   18 C5
Bowring Way. BN2   21 H5
Boyces St. BN1   6 D4
Brackenbury Clo.
  BN41   10 C5
Brading Rd. BN2   21 G3

Braemore Rd. BN3   19 E6
Braeside Av. BN1   13 E1
Bramber Av,
  Peacehaven. BN10   27 F6
Bramber Av, West
  Blatchington. BN3   11 G4
Bramber Av Nth.
  BN10   27 F4
Bramber Clo. BN10   27 F4
Bramble Rise. BN1   12 C3
Bramble Way. BN1   13 H2
Brambledean Rd.
  BN41   18 B5
Brambletyne Av. BN2   26 A3
Brangwyn Av. BN1   12 D3
Brangwyn Cres. BN1   12 D2
Brangwyn Dri. BN1   12 D2
Brangwyn Way. BN1   12 D3
Brasslands Dri. BN41   10 B5
Braybon Av. BN1   13 E4
Bread St. BN1   7 E3
Brede Clo. BN2   22 B5
Brentwood Clo. BN1   13 G5
Brentwood Cres. BN1   13 G5
Brentwood Rd. BN1   13 G5
Bretts Field. BN10   27 F2
Brewer St. BN2   21 F3
Briar Clo. BN2   23 F2
Briarcroft Rd. BN2   23 F2
Bridle Way. BN10   26 D3
Brigden St. BN1   20 D3
Brighton Pl. BN1   7 E4
Brighton Rd,
  Falmer. BN1   15 G1
Brighton Rd,
  Shoreham. BN43   16 A5
Brighton Sq. BN1   7 E4
Brills La. BN1   7 F5
Bristol Gdns. BN2   22 B6
Bristol Gate. BN2   21 H6
Bristol Pl. BN2   22 B6
Bristol Rd. BN2   21 G6
Bristol St. BN2   22 B5
Brittany Rd. BN3   18 D5
Broad Green. BN2   23 G3
Broad Rig Av. BN3   11 E3
Broad St. BN2   7 G5
*Broadfields, Moulsecoomb
  Way. BN2   14 C4
Broadfields Rd. BN2   14 C4
Bromley Rd. BN2   21 F2
Brompton Clo. BN1   12 D2
Brookemead. BN2   7 G2
Brooker Pl. BN3   19 G5
Brooker St. BN3   19 G5
Broomfield Av. BN10   26 C4
Broomfield Dri. BN41   10 B3
Brownleaf Rd. BN2   23 G3
Brunswick Mws. BN3   20 B5
Brunswick Pl. BN3   20 B4
Brunswick Rd,
  Hove. BN3   6 A3
Brunswick Rd,
  Shoreham. BN43   16 C5
Brunswick Row. BN1   7 F1
Brunswick Sq. BN3   20 B5
Brunswick St E. BN3   6 A4
Brunswick St W. BN3   20 B5
Brunswick Ter. BN3   6 A4
Buci Cres. BN43   17 E3
Buckhurst Rd. BN10   26 C4
Buckingham Av.
  BN43   16 B3
Buckingham Clo.
  BN43   16 D3
Buckingham Mws.
  BN43   16 C3
Buckingham Pl. BN1   20 D3
Buckingham Rd. BN1   6 D2
Buckingham Rd,
  Shoreham. BN43   16 C4
Buckingham St. BN1   6 D2
Buckingham St,
  Shoreham. BN43   16 B4
Buckler St. BN41   18 B4
Buckley Clo. BN3   11 F3
Buller Rd. BN2   21 H1

Burlington Gdns.
  BN41   10 D
Burlington St. BN2   21 C
Burlow Clo. BN2   22 B
Burnham Clo. BN2   23 H
Burstead Clo. BN1   13 C
Burton Villas. BN3   11 H
Burwash Rd. BN3   11 H
Bush Clo,
  Telscombe. BN10   26 D
Bush Clo,
  Woodingdean. BN2   23 C
Bush Cottage Clo.
  BN41   10 C
Bush Farm Dri. BN41   10 D
Buttercup Walk. BN1   13 C
Butts Rd. BN42   17 C
Buxted Rise. BN1   13 C
Buxton Rd. BN1   20 D
Byron St. BN3   19 C
Byworth Clo. BN2   22 B

Caburn Rd. BN3   20 C
Cairo Av. BN10   26 D
Cairo Av Sth. BN10   26 D
Caisters Clo. BN3   20 B
Caledonian Rd. BN2   21 H
Camber Clo. BN2   22 B
Cambridge Gro. BN3   20 A
Cambridge Rd. BN3   6 A
Camden St. BN41   18 C
Camden Ter. BN1   6 D
Camelford St. BN2   7 H
Camp Clo. BN41   10 C
Campbell Rd. BN1   21 E
Canada Clo. BN10   27 E
Canfield Clo. BN2   21 H
Canfield Rd. BN2   21 H
Canning St. BN2   21 G
Cannon Pl. BN1   6 C
Canterbury Dri. BN2   21 F
Capel Av. BN10   27 F
Carden Av. BN1   12 C
Carden Clo. BN1   13 F
Carden Cres. BN1   13 F
Carden Hill. BN1   13 G
Carden Par. BN1   13 G
Carey Down. BN10   27 E
Carisbrooke Rd. BN2   21 H
Carlisle Rd. BN3   19 F
Carlton Hill. BN2   7 G
Carlton Pl. BN2   7 H
Carlton Ter. BN41   18 C
Carlyle Av. BN2   21 H
Carlyle St. BN2   21 G
Carol Clo. BN1   13 E
*Caspian Cotts,
  Caspian Sq. BN2   25 F
Caspian Sq. BN2   25 F
Castle Sq. BN1   7 F
Castle St. BN1   6 C
Catherine Vale. BN2   23 G
Cavell Av. BN10   27 E
Cavell Av Nth. BN10   27 E
Cavendish Clo. BN10   27 E
Cavendish Mws. BN3   6 A
Cavendish Pl. BN1   6 B
Cavendish St. BN2   7 G
Cecil Pashley Way.
  BN43   16 A
Cedars Gdns. BN1   12 C
Central Av. BN10   26 D
Centurion Rd. BN1   6 D
Chadborn Clo. BN2   21 H
Chailey Av. BN2   25 F
Chailey Cres. BN2   26 B
Chailey Rd. BN1   14 C
Chalfont Dri. BN3   12 C
Chalington Clo. BN1   14 C
Chalkland Rise. BN2   23 H
Chalky Rd. BN41   10 A
Challoners Clo. BN2   25 F
Challoners Mws. BN2   25 F
Chanctonbury Dri.
  BN43   16 A
Chanctonbury Rd.
  BN3   20 D

32

annel View Rd. BN2	22 D2	Clifton Ter. BN1 6 C2	Cromwell St. BN2 21 G3	Downs Valley Rd. BN2 23 G1
apel Mews. BN3	6 A4	Clifton Way. BN10 26 D4	Cross Rd. BN42 17 G3	Downs View. BN10 27 G2

annel View Rd. BN2 22 D2
apel Mews. BN3 6 A4
apel Pl. BN41 18 C5
apel Rd. BN41 18 B5
apel St. BN2 7 G5
apel Ter. BN2 21 H6
arles Clo. BN3 12 A5
arles St. BN2 7 F5
arlotte St. BN2 7 H6
artfield. BN3 11 H5
atham Pl. BN1 20 D3
atsworth Av. BN10 26 D2
atsworth Dr. BN10 26 D4
atsworth Pk. BN10 27 E3
atsworth Rd. BN1 20 C2
eal Clo. BN43 16 C5
eapside. BN1 7 F1
elston Av. BN3 18 D4
eltenham Pl. BN1 7 F3
elwood Clo. BN1 13 H2
esham Pl. BN2 21 H6
esham Rd. BN2 21 H6
ester Ter. BN1 21 E1
hichester Clo, Chichester
Dri East. BN2 25 H6
hichester Clo,
Hangleton. BN3 11 F3
ichester Clo,
Peacehaven. BN10 27 H5
ichester Dri E. BN2 25 H6
ichester Dri W.
BN2 25 H6
hichester Mews,
Chesham Rd. BN2 21 H6
ichester Pl. BN2 21 H6
ichester Ter. BN2 22 A6
iddingly Clo. BN2 22 B5
iltern Clo. BN43 17 F4
iltington Clo. BN2 26 A2
iltington Way. BN2 25 H6
orley Av. BN2 25 G4
rrisdory Rd. BN1 10 A3
urch Clo. BN1 13 E3
urch Green. BN43 17 F4
urch Hill. BN1 12 D2
urch Ho Clo. BN42 17 H2
urch La. BN42 17 G4
urch Pl. BN2 22 A6
urch Rd, Hove. BN3 19 G5
urch Rd,
Portslade. BN41 18 B4
urch St. BN1 6 D3
urch St,
Portslade. BN41 18 C5
urch St,
Shoreham. BN43 16 B5
urchway. BN2 7 G2
nque Foil. BN10 27 F3
rcus St. BN2 7 F3
ssbury Rd. BN10 27 H5
ssbury Cres. BN2 26 B2
ssbury Rd. BN2 20 C3
ssbury Way. BN43 16 B2
arence Sq. BN1 6 C4
arence St. BN41 18 C5
arence Yard. BN1 7 E4
arendon Pl. BN2 21 G6
arendon Pl,
Portslade. BN41 18 C5
arendon Rd,
Hove. BN3 19 G4
arendon Rd,
Southwick. BN43 17 F3
arendon Ter. BN2 21 H6
arendon Villas. BN3 19 G4
arke Av. BN3 11 G4
ayton Rd. BN2 21 H3
ayton Way. BN3 11 G4
ermont Rd. BN1 12 D6
ermont Ter. BN1 12 D6
eveland Rd. BN1 21 E1
iff App. BN2 22 C6
iff Av. BN10 27 H6
iff Gdns. BN10 26 C4
iff Clo. BN10 27 H5
iff Rd. BN2 22 B6
ifton Hill. BN1 6 C1
ifton Mews. BN1 6 C2
ifton Pl. BN1 6 C2
ifton Rd. BN1 6 C2
ifton St. BN1 6 D1
ifton St Pass. BN1 6 D1

Clifton Ter. BN1 6 C2
Clifton Way. BN10 26 D4
Cliveden Clo. BN1 12 D6
Clover Way. BN41 10 C4
Clovers End. BN1 13 G1
Clyde Rd. BN1 21 E2
Cobden Rd. BN2 21 G3
Cobton Dri. BN3 12 A5
Colbourne Av. BN2 14 B5
Colbourne Rd. BN3 20 C3
Coldean La. BN1 14 B1
Colebrook Rd,
Southwick. BN42 17 H5
Colebrook Rd,
Withdean. BN1 12 C4
Coleman Av. BN3 19 E5
Coleman St. BN2 21 F3
Coleridge St. BN3 19 G4
College Clo. BN41 10 B4
College Gdns. BN2 21 G6
*College Mews,
College Gdns. BN2 21 G6
College Pl. BN2 21 G6
College Rd. BN2 21 G6
College St. BN2 21 G6
College Ter. BN2 21 G6
Collingwood Clo.
BN10 27 F3
Collingwood Ct. BN43 16 C5
Colvill Av. BN43 16 A3
Compass Ct. BN41 10 C1
Compton Av. BN1 6 D1
Compton Rd. BN1 20 C1
Coney Furlong. BN10 27 G2
Connaught Av. BN43 16 A3
Connaught Rd. BN3 19 G5
Connaught Ter. BN3 19 G5
Connell Dri. BN2 23 G3
Conway Pl. BN3 19 G4
Conway St. BN3 19 G4
Cooksbridge Rd. BN2 22 B3
Coolham Dri. BN2 22 B3
Coombe Mdw. BN2 26 B1
Coombe Rise. BN2 26 B1
Coombe Rd. BN2 21 G1
Coombe Vale. BN2 26 A1
Copse Hill. BN1 12 C3
Corbyn Cres. BN43 16 D4
Cornford Clo. BN41 10 C4
Cornwall Av. BN10 27 H5
Cornwall Gdns. BN1 13 E5
Coronation St. BN2 21 G3
*Corporation Yd,
Erroll Rd. BN3 18 C5
Cotswolds. BN42 17 G4
County Oak Av. BN1 13 G2
Court Clo. BN1 12 D1
Court Farm Rd,
Ovington. BN2 25 E3
Court Farm Rd, West
Blatchington. BN3 11 G4
Court Ord Rd. BN2 25 E3
*Courtenary Ter,
Kingsway. BN3 19 H6
Courtlands. BN2 7 G2
Coventry St. BN1 20 D2
Cowden Rd. BN2 26 A3
Cowdens Clo. BN3 11 E3
Cowfold Rd. BN2 22 A5
Cowley Dri. BN2 23 H2
Cowper St. BN3 19 F4
Crabtree Av. BN1 13 G3
Craignair Av. BN1 13 G3
Cranbourne St. BN1 6 D4
Cranbrook. BN2 7 G2
Cranleigh Av. BN2 25 G5
Cranmer Av. BN3 11 G6
Craven Rd. BN2 21 H4
Crawley Rd. BN1 14 B1
Crayford Rd. BN2 21 H1
Crescent Clo. BN2 23 G1
Crescent Dri Nth. BN2 23 G1
Crescent Dri Sth. BN2 23 G3
Crescent Pl. BN2 21 G6
Crescent Rd. BN2 21 F2
Crespin Way. BN1 14 A6
Crest Way. BN41 10 C4
Cripps Av. BN10 27 F3
Crocks Dean. BN10 27 G2
Croft Av. BN42 17 H4
Croft Dri. BN41 10 B4
Croft Rd. BN1 12 C4
Cromleigh Way. BN42 17 H2
Cromwell Rd. BN3 19 H4

Cromwell St. BN2 21 G3
Cross Rd. BN42 17 G3
Cross Rd Clo. BN42 17 G3
Cross St. BN3 6 A3
Crossbush Rd. BN2 22 B4
Crowborough Rd.
BN2 26 A3
Crowhurst Rd. BN1 13 G1
Crown Clo. BN3 20 B4
Crown Gdns. BN1 6 D3
Crown Rd,
Portslade. BN41 18 B3
Crown Rd,
Shoreham. BN43 17 E4
Crown St. BN1 6 C3
Cuckmere Way. BN1 13 H2
Culpepper Clo. BN2 14 B5
Cumberland Dri. BN1 12 D6
Cumberland Rd. BN1 12 D6
Curwen Pl. BN1 12 D5
Cuthbert Rd. BN2 21 G5
Cypress Clo. BN43 16 C2

D'Aubigny Rd. BN2 21 F2
Dale Av. BN1 13 E3
Dale Cres. BN1 13 E2
Dale Dri. BN1 13 F3
Dale View. BN3 11 E5
Dale View Gdns. BN3 11 E5
Dallington Rd. BN3 19 E4
Damon Clo. BN10 27 F5
Danehill Rd. BN2 22 C4
Darcy Dri. BN1 13 F2
Dartmouth Clo. BN2 22 B1
Dartmouth Cres. BN2 22 B1
Davey Dri. BN1 21 F1
Davigdor Rd. BN3 20 B3
Dawlish Clo. BN2 22 B1
Dawson Ter. BN2 21 G4
De Courcel Rd. BN2 22 B6
De Montfort Rd. BN2 21 G3
Deacons Dri. BN41 10 D5
Dean Clo,
Portslade. BN41 10 D5
Dean Clo,
Rottingdean. BN2 25 F5
Dean Court Rd. BN2 25 F5
Dean Gdns. BN41 10 D5
Dean St. BN1 6 C3
Deans Clo. BN2 23 G2
Deanway. BN3 12 A5
Delfryn. BN41 10 A4
Dene Vale. BN1 12 C3
Deneside. BN1 12 C3
Denmark Rd. BN41 18 C4
Denmark Ter. BN1 6 B2
Denmark Villas. BN3 19 H4
Dennis Hobden Clo.
BN2 22 A1
Denton Dri. BN1 13 F3
Derek Av. BN3 18 D5
Desmond Way. BN2 22 B4
Devils Dyke Rd. BN3 11 G1
Devonshire Pl. BN2 7 G5
Dewe Rd. BN2 21 G1
Dinapore Ho. BN2 7 G2
Ditchling Cres. BN1 13 H3
Ditchling Gdns. BN1 21 F1
Ditchling Rise. BN1 21 E2
Ditchling Rd. BN1 13 H3
Dolphin Rd. BN43 16 D4
Dolphin Way. BN43 16 D4
Donald Hall Rd. BN2 22 A5
Donnington Rd. BN2 23 G4
Dorothy Av. BN10 27 D6
Dorothy Av Nth. BN10 27 F4
Dorothy Rd. BN3 18 D3
Dorset Gdns. BN2 7 G5
Dorset Pl. BN2 7 G4
Dorset St. BN2 7 G4
Dover Rd. BN1 13 F6
Dower Clo. BN2 21 G4
Down Ter. BN2 21 G4
Downash Clo. BN2 22 B3
Downland Av. BN10 27 H5
Downland Cres. BN3 11 G4
Downland Dri. BN3 11 G4
Downlands Av. BN42 17 G3
Downlands Clo,
Portslade. BN41 10 B5
Downlands Clo,
Southwick. BN42 17 G2

Downs Valley Rd. BN2 23 G1
Downs View. BN10 27 G2
Downs Walk. BN10 27 E3
Downside,
Shoreham. BN43 16 C2
Downside,
Tongdean. BN3 12 B5
Downside,
Withdean. BN1 12 C3
Downside Clo. BN43 16 C2
Downsview. BN3 11 E5
Downsview Av. BN2 23 E1
Downsview Rd. BN41 10 C4
Downsway,
Shoreham. BN43 16 C3
Downsway,
Southwick. BN42 17 H1
Downsway,
Woodingdean. BN2 23 F1
Draxmont Way. BN3 13 E5
Drove Cres. BN41 10 B5
Drove Rd. BN41 10 B5
Drovers Clo. BN41 10 D4
Dudley Rd. BN1 21 F1
Dudwell Rd. BN2 23 G3
Duke St. BN1 6 D4
Dukes Clo. BN1 6 D4
Dukes La. BN1 7 E4
Dunster Clo. BN1 21 F1
Durham Clo. BN2 15 E6
Dyke Clo. BN3 12 B4
Dyke Rd. BN1 6 D2
Dyke Rd Av. BN3 12 A4
Dyke Rd Dri. BN1 20 D2
Dyke Rd Pl. BN1 12 C5

East Dri. BN2 21 G5
East Meadway. BN43 16 D6
East St, Brighton. BN1 7 E5
East St, Falmer. BN1 15 G1
East St,
Portslade. BN41 18 C5
East St,
Shoreham. BN43 16 C5
Eastbank. BN42 17 H2
Eastbourne Rd. BN2 21 H1
Eastbrook Rd. BN41 18 B4
Eastbrook Way. BN41 18 A4
Eastergate Rd. BN2 14 C4
Eastern Av. BN43 16 D3
Eastern Clo. BN43 16 D4
Eastern Pl. BN2 22 B6
Eastern Rd. BN2 21 F5
Eastern Ter. BN2 21 H6
Eastern Ter Mews.
BN2 21 H6
Eastfield Cres. BN1 13 F4
Easthill Dri. BN41 10 C5
Easthill Way. BN41 10 C5
Eastwick Clo. BN1 13 G1
Eaton Gdns. BN3 19 H5
Eaton Gro. BN3 19 H4
Eaton Pl. BN2 21 H6
Eaton Rd. BN3 20 A3
Eaton Villas. BN3 19 H5
Ecclesden. BN2 7 G2
Edburton Av. BN1 21 E1
Edburton Gdns. BN43 16 C2
Edge Hill Way. BN41 10 B5
Edinburgh Rd. BN2 21 F2
Edith Av. BN10 27 E5
Edith Av Nth. BN10 27 F4
Edward Av,
Saltdean. BN2 26 A1
Edward Av,
Tongdean. BN3 12 A5
Edward Clo. BN3 12 A5
Edward St. BN2 7 F4
Effingham Clo. BN2 25 H4
Egginton Clo. BN2 15 E3
Egginton Rd. BN2 14 D3
Egmont Rd. BN3 11 E6
Egremont Pl. BN2 7 H4
Eileen Av. BN2 25 G6
Elder Clo. BN41 10 C4
Elder Pl. BN1 21 E3
Eldred Av. BN1 12 C4
Eley Cres. BN2 25 E3
Eley Dri. BN2 25 E3
Elizabeth Av. BN3 12 A5
Elizabeth Clo. BN3 12 A5
Elizabeth Rd. BN43 17 F3
Ellen St, Hove. BN3 19 G4

Ellen St,
Portslade. BN41 18 C5
Elm Clo,
Shoreham. BN43 16 C3
Elm Clo,
Tongdean. BN3 12 C6
Elm Dri. BN3 11 F5
Elm Gro. BN2 21 F3
Elm Rd. BN41 18 B4
Elmore Rd. BN2 7 G3
Elms Lea Av. BN1 12 D6
Elrington Rd. BN3 20 B1
Elsted Cres. BN1 13 H2
Elvin Cres. BN2 25 E3
Emerald Quay. BN43 16 D5
English Clo. BN3 11 G6
Eridge Rd. BN3 11 H5
Erringham Rd. BN43 16 B3
*Erroll Ct,
Errol Rd. BN3 18 C5
*Erroll Mansions,
Erroll Rd. BN3 18 C5
Erroll Rd. BN3 18 C5
Eskbank Av. BN1 13 F1
Esplanade. BN3 6 B5
Essex St. BN2 7 H5
Ethel St. BN3 19 H4
Evelyn Ter. BN2 21 G5
Evershed Way. BN43 17 E4
Ewart St. BN2 21 F4
Ewhurst Rd. BN2 21 G2
Exeter St. BN1 20 D2
Exleat Clo. BN2 22 B4

Fairdene. BN42 17 H3
Fairfield Clo. BN43 17 E3
Fairfield Gdns. BN41 10 D5
Fairlawns. BN43 16 C3
Fairlie Gdns. BN1 13 E5
Fairlight Av. BN10 26 C4
Fairview Rise. BN1 12 C3
Fairway Cres. BN41 10 D5
Falcon Clo. BN43 17 E5
Fallowfield Clo. BN3 11 G5
Fallowfield Cres. BN3 11 G5
Falmer Av. BN2 25 H4
Falmer Clo. BN2 23 F2
Falmer Gdns. BN2 23 F2
Falmer Hill. BN1 15 F1
Falmer House Rd. BN1 15 F1
Falmer Rd. BN2 23 F1
Farm Clo. BN41 10 C4
Farm Hill. BN2 23 E1
Farm Mews. BN3 20 B4
Farm Rd. BN3 20 B4
Farm Way. BN42 18 A4
Farm Yard. BN1 6 D4
Farman St. BN3 6 A3
Farmway Clo. BN3 11 E5
Fennel Walk. BN43 17 E2
Ferndale Rd. BN3 20 C3
Fernhurst Clo. BN1 13 G3
Fernhurst Cres. BN1 13 G3
Fernwood Rise. BN1 12 C3
Ferry Rd. BN43 16 C5
Feversham Clo. BN43 17 E6
Findon Av. BN2 26 B2
Findon Clo. BN3 11 G4
Findon Rd. BN2 22 B4
Finsbury Rd. BN2 21 F4
Fir Clo. BN2 23 H3
Fircroft Clo. BN1 12 D5
Firle Rd. BN2 21 H4
Firle Rd,
Peacehaven. BN10 27 E3
First Av. BN3 20 A5
Fishermans Walk.
BN43 16 A6
Fishersgate Clo. BN41 18 A5
Fishersgate Ter. BN41 18 A5
Fitch Dri. BN2 22 B1
Fitzherbert Dri. BN2 22 A1
Flag Sq. BN43 16 C6
Fletching Clo. BN2 22 B4
Flimwell Clo. BN2 22 B5
Flint Clo. BN41 10 D4
Florence Av. BN3 18 D3
Florence Pl. BN2 21 F1
Florence Rd. BN1 21 E2
Fonthill Rd. BN3 19 H4
Foredown Clo. BN41 10 C5
Foredown Dri. BN41 10 D5
Foredown Rd. BN41 10 C5
Forest Rd. BN1 14 G2

Forge Clo. BN41 10 D5
Fort Haven. BN43 17 F6
Foundry St. BN1 7 E3
Fountains Clo. BN1 14 A6
Founthill Av. BN2 25 H5
Founthill Rd. BN2 25 G5
Fourth Av. BN3 19 H6
Fowey Clo. BN43 17 E6
Fox Hill. BN10 27 E3
Fox Way. BN41 10 D4
Foxdown Rd. BN2 23 H3
Foxhunters Rd. BN41 10 A4
Framfield Clo. BN1 14 C1
Francis St. BN1 21 E3
Franklin Rd. BN2 21 G2
Franklin Rd,
 Portslade BN41 18 C4
Franklin Rd,
 Shoreham. BN43 17 F3
Franklin St. BN2 21 G2
Frant Rd. BN3 11 H5
Frederick Gdns. BN1 7 E2
Frederick Pl. BN1 7 E2
Frederick St. BN1 7 E2
Freehold St. BN43 16 B4
Freehold Ter. BN2 21 F2
Freemans Rd. BN42 18 B3
Freshfield Pl. BN2 21 G5
Freshfield Rd. BN2 21 G5
Freshfield St. BN2 21 G4
Freshfield Way. BN2 21 G5
Friar Clo. BN1 13 F4
Friar Cres. BN1 13 F5
Friar Rd. BN1 13 F4
Friar Walk. BN1 13 F5
Friars Av. BN10 27 G6
Frimley Clo. BN2 23 H3
Friston Clo. BN2 14 D3
Frith Rd. BN3 19 G3
Fulmar Clo. BN3 20 B1
Furze Croft. BN3 6 A1
Furze Hill. BN3 6 A2
Furze Hill Ct. BN3 6 A2

Gableson Av. BN1 12 B4
Galliers Clo. BN1 13 G2
Garden Clo. BN41 16 D3
Gardener St. BN41 18 B4
Gardens Clo. BN41 18 C3
Gardner Centre Rd.
 BN1 15 E1
Gardner Rd. BN41 18 A5
Gardner St. BN1 7 E3
George St,
 Brighton. BN2 7 G5
George St,
 Hove. BN3 19 H5
George St,
 Portslade. BN41 18 B5
Gerard St. BN1 21 E2
Ghyllside. BN2 22 B1
Gladstone Pl. BN2 21 G2
Gladstone Rd. BN41 18 B4
Gladstone Ter. BN2 21 F3
Gladys Av. BN10 27 G6
Gladys Rd. BN3 18 D3
Glastonbury Rd. BN3 18 D5
Glebe Clo. BN42 17 H4
Glebe Villas. BN3 18 D4
Glebelands Clo. BN43 16 D4
Glen Rise. BN1 12 B3
Glen Rise Clo. BN1 12 B3
Glendale. BN3 20 C3
Glendor Rd. BN3 19 E5
Glenfalls Av. BN1 13 F1
Gleton Av. BN3 11 E4
Gloucester Pass. BN1 7 F2
Gloucester Pl. BN1 7 F3
Gloucester Rd. BN1 7 E2
Gloucester St. BN1 7 F2
Glynde Av. BN2 26 A2
Glynde Rd. BN2 21 H4
Glyndebourne Av.
 BN2 25 H5
Glynn Rise. BN10 27 E2
Glynn Rd. BN10 27 F3
Glynn Rd West. BN10 27 E2
Glynview. BN2 7 G3
Godwin Rd. BN3 11 E6
Gold Dri. BN10 27 F1
Goldsmid Rd. BN3 6 B1
Goldstone Clo. BN3 12 A6
Goldstone Ct. BN3 11 H4
Goldstone Cres. BN3 12 A6

Goldstone La. BN3 19 H3
Goldstone Rd. BN3 19 G4
Goldstone St. BN3 19 H4
Goldstone Villas. BN3 19 H4
Goldstone Way. BN3 11 H4
Golf La. BN1 13 G5
Goodwood Way. BN2 14 C4
Gordon Av. BN43 16 D4
Gordon Rd,
 Brighton. BN1 13 E6
Gordon Rd,
 Portslade. BN41 18 C4
Gordon Rd,
 Shoreham. BN43 16 C4
Gordon Rd,
 Southwick. BN41 18 B5
Gorham Av. BN2 25 F4
Gorham Clo. BN2 25 F4
Gorham Way. BN10 26 C4
Gorringe Clo. BN43 17 F4
Gorse Clo. BN41 10 B3
Graffham Clo. BN2 22 B4
Grafton St. BN2 7 H5
Graham Av,
 Portslade. BN41 10 A3
Graham Av,
 Withdean. BN1 13 E4
Graham Clo. BN41 10 B3
Graham Cres. BN41 10 B3
Grand Av. BN3 19 H6
Grand Crescent. BN2 25 G5
Grand Junction Rd.
 BN1 7 E5
Grand Parade. BN2 7 F3
Grand Parade
 Mews. BN2 7 F4
Grange Clo. BN1 20 D1
Grange Rd,
 Hove. BN3 19 E4
Grange Rd,
 Southwick. BN42 17 G5
Grangeways. BN1 12 D3
Grant St. BN2 21 F3
Grantham Rd. BN1 21 E1
Granville Rd. BN3 20 C3
Grassmere Av. BN10 26 C4
Great College St. BN2 21 G6
Green Clo. BN42 17 G4
Green Gate. BN10 27 F2
Green La. BN2 23 G3
Green Ridge. BN1 12 B3
Greenacres,
 Peacehaven. BN10 27 G2
Greenacres,
 Shoreham. BN43 16 B3
Greenbank Av. BN2 26 A2
Greenfield Clo,
 Hollingbury. BN1 13 F3
Greenfield Clo,
 Southwick. BN42 17 H3
Greenfield Cres. BN1 13 E4
Greenhill Way. BN10 27 F2
Greenleas. BN3 11 E5
Greenways,
 Ovingdean. BN2 24 D3
Greenways,
 Southwick. BN42 17 H3
Greenways Cnr. BN2 24 C3
Greenways Cres.
 BN43 16 D3
Greenwich Way.
 BN10 27 E4
Greyfriars Clo. BN3 20 B2
Grosvenor St. BN2 7 G4
Grove Bank. BN2 7 G2
Grove Hill. BN2 7 G2
Grove St. BN2 7 H2
Guildford Rd. BN1 6 D1
Guildford St. BN1 6 D2

Haddington Clo. BN3 19 H5
Haddington St. BN3 19 H5
Hadlow Clo. BN2 21 H4
Hadrian Av. BN42 18 A3
Haig Av. BN1 14 B1
Hailsham Av. BN2 26 A1
Hairpin Croft. BN10 27 F3
Halland Rd. BN2 14 D3
Hallett Rd. BN2 21 G3
Hallyburton Rd. BN3 18 D4
Ham Rd. BN43 16 B4
Hamilton Clo. BN41 10 B4
Hamilton Rd. BN1 20 D2
Hammy Clo. BN43 17 E3

Hammy La. BN43 17 E4
Hammy Way. BN43 17 E3
Hampden Rd. BN1 21 G3
Hampstead Rd. BN1 12 D6
Hampton Pl. BN1 6 B3
Hampton St. BN1 6 C3
Hamsey Clo. BN2 22 B5
Hamsey Rd. BN2 26 A4
Hangleton Clo. BN3 11 E5
Hangleton Gdns. BN3 11 E5
Hangleton La,
 Hove. BN3 11 E4
Hangleton La,
 Portslade. BN41 10 D5
Hangleton Link Rd.
 BN3 10 D3
Hangleton Manor Clo.
 BN3 11 E4
Hangleton Rd. BN3 11 E6
Hangleton Valley Dri.
 BN3 11 E4
Hangleton Way. BN3 11 E5
Hanover Cres. BN2 21 F3
Hanover Mews. BN2 21 F3
Hanover Pl. BN2 21 F3
Hanover St. BN2 21 F3
Hanover Ter. BN2 21 F3
Harbour Way. BN43 16 D5
Hardwick Rd. BN3 11 F3
Hardwick Way. BN3 11 F3
Hardys Clo. BN43 16 C6
Harebell Dri. BN41 10 C4
Harmsworth Cres.
 BN3 11 F3
Harrington Pl. BN1 13 G6
Harrington Rd. BN1 13 G6
Harrington Vs. BN1 13 E6
Hartfield Av. BN1 13 F4
Hartfield Rd. BN2 26 B2
Hartington Pl. BN2 21 G2
Hartington Rd. BN2 21 G2
Hartington Ter. BN2 21 G2
Hartington Vs. BN3 19 H3
Harvest Clo. BN10 27 E2
Havelock Rd. BN1 21 E1
Havenside. BN43 16 A6
Hawkhurst Rd. BN2 14 B1
Hawkins Clo. BN43 17 F2
Hawkins Cres. BN43 17 F2
Hawkins Rd. BN43 17 F2
Hawthorn Clo. BN2 26 A2
Hawthorn Way. BN41 10 C4
Haybourne Clo. BN2 22 B3
Haybourne Rd. BN2 22 B3
Hayes Clo. BN41 10 D6
Haywards Rd. BN1 13 F2
Hazel Clo. BN10 27 F3
Hazeldene Meads.
 BN1 12 C5
Headland Clo. BN10 27 H5
Heath Hill Av. BN2 14 D6
Heathdown Clo. BN10 27 F2
Heathfield Av. BN2 26 A1
Heathfield Cres. BN41 10 A3
Heathfield Dri. BN41 10 A3
Heathy Brow. BN10 27 E3
Hebe Rd. BN43 16 B4
Helena Clo. BN41 10 D5
Helena Rd. BN2 23 F1
Hellingly Clo. BN2 22 B4
Hempstead Rd. BN2 26 A1
Hendon St. BN2 21 G5
Henfield Clo. BN2 22 B5
Henfield Way. BN3 11 G4
Henge Way. BN41 10 C5
Henley Rd. BN2 22 B6
Herbert Rd. BN1 13 E6
Hereford St. BN2 7 H5
Heronsdale Rd. BN2 23 H1
Hertford Rd. BN1 13 G6
Heston Av. BN1 13 F1
Heyworth Clo. BN2 23 H2
High Clo. BN41 10 B5
High Park Av. BN3 11 F4
High St, Brighton. BN2 7 G5
High St,
 Portslade. BN41 10 B5
High St,
 Rottingdean. BN2 25 F5
High St,
 Shoreham. BN43 16 B5
Highbank. BN1 12 C3
Highbrook Clo. BN2 14 B5

Highcroft Villas. BN1 20 C2
Highdown. BN42 17 H2
Highdown Clo. BN42 10 B5
Highdown Rd. BN3 20 C3
Highfield Cres. BN3 13 F3
Highfields. BN1 14 C3
Highlands Rd. BN41 10 D6
Highleigh. BN2 7 G2
Highsted Pk. BN10 27 G2
Highview Av Nth. BN1 13 E2
Highview Av Sth. BN1 13 E3
Highview Rd,
 Patcham. BN1 12 D2
Highview Rd,
 Peacehaven. BN10 26 C4
Highview Way. BN1 12 D2
Highways. BN41 10 C5
Hilgrove Rd. BN2 26 A1
Hill Brow. BN1 12 B4
Hill Dri. BN3 12 B5
Hill Farm Cotts. BN42 17 G2
Hill Farm Way. BN42 17 G2
Hill Rd. BN2 25 G5
Hill Top. BN1 13 A4
Hillbank Clo. BN41 10 B4
Hillbrow Rd. BN1 12 C4
Hillcrest. BN1 12 C3
Hillcroft. BN41 10 B4
Hillside,
 Moulescoomb. BN2 14 B5
Hillside,
 Portslade. BN41 10 D5
Hillside,
 Southwick. BN42 17 H3
Hillside Way. BN1 12 B4
Hillview Rd. BN2 22 D2
Hinton Clo. BN1 14 A6
Hoddern Av. BN10 27 E5
Hodshrove La. BN2 14 C4
Hodshrove Rd. BN2 14 C5
Hogarth Rd. BN3 19 E5
Holland Mews. BN3 20 B5
Holland Rd. BN3 20 B5
Holland St. BN2 7 H2
Hollingbury Copse.
 BN1 13 F4
Hollingbury Cres. BN1 13 G6
Hollingbury Park Av.
 BN1 13 G6
Hollingbury Pl. BN1 13 G6
Hollingbury Rise. BN1 13 G6
Hollingbury Rise West.
 BN1 13 G6
Hollingbury Rd. BN1 21 F1
Hollingbury Ter. BN1 13 G6
Hollingbury
 Trading Est. BN1 13 G1
Hollingdean La. BN1 21 F2
Hollingdean Rd. BN2 21 F2
Hollingdean St. BN1 13 G6
Hollingdean Ter. BN1 13 G6
Hollo. BN1 13 E5
Holmbush Clo. BN43 17 F2
Holmbush Way. BN42 17 G2
Holmes Av. BN3 11 G5
Holton Hill. BN2 23 G3
Holtview Rd. BN2 22 D2
Home Farm Rd. BN1 14 A5
Home Rd. BN1 20 C1
Homebush Av. BN2 26 A2
Honey Croft. BN3 11 E3
Horley Pl. BN2 22 B3
Hornby Rd. BN2 14 D6
Horsham Av. BN10 27 E5
Horsham Av Sth.
 BN10 27 F4
Horsham Clo. BN2 22 B3
Horton Rd. BN1 21 F1
 19 H5
Hova Villas. BN3 19 H5
Hove Park Gdns. BN3 19 H3
Hove Park Rd. BN3 19 H3
Hove Park Vs. BN3 19 H4
Hove Park Way. BN3 19 H4
Hove Pl. BN3 19 G6
Hove Seaside Villas.
 BN3 18 D6
Hove St. BN3 19 G6
Hove St Sth. BN3 19 G6
Howard Pl. BN1 20 D3
Howard Rd. BN2 21 F3
Howard Ter. BN1 20 D3
Hoyle Rd. BN10 27 F4

Hughes Rd. BN2 21 F2
Hunston Clo. BN2 23 H.
Hurst Cres. BN41 18 B.
Hurst Hill. BN1 13 H.
Hutton Rd. BN1 13 G.
Hylden Clo. BN2 22 D.
Hythe Rd. BN1 13 F.

Iden Clo. BN2 22 B.
Ifield Clo. BN2 26 C.
Imperial Arcade. BN1 6 D.

INDUSTRIAL & RETAIL:
Bevendean Ind Est.
 BN2 22 C.
Centenary Ind Est.
 BN2 21 F.
Dolphin Rd Ind Est.
 BN43 17 E.
Fairway Retail Pk.
 BN2 14 C.
Goldstone Retail Pk.
 BN3 19 H.
Hollingbury Trading
 Est. BN1 13 G.
Homefarm Business
 Centre. BN1 14 B.
Sackville Ind Est.
 BN3 19 G.
Ingham Dri. BN1 14 B.
Ingram Ct. BN3 19 E.
Ingram Cres E. BN3 19 E.
Ingram Cres W. BN3 19 E.
Inverness Rd. BN2 21 G.
Inwood Cres. BN1 20 C.
Isabel Cres. BN3 19 E.
Isfield Rd. BN1 14 A.
Islingword Pl. BN2 21 G.
Islingword Rd. BN2 21 F.
Islingword St. BN2 21 F.
Ivor Rd. BN2 23 F.
Ivory Pl. BN2 7 G.
Ivy Mews. BN3 6 A.
Ivy Pl. BN3 6 A.

Jackson St. BN2 21 F.
Japonica Clo. BN43 17 E.
Jason Clo. BN10 27 F.
Jay Rd. BN10 27 H.
Jersey St. BN2 7 G.
Jesmond Clo. BN3 19 E.
Jesmond Rd. BN3 19 E.
Jevington Dri. BN2 21 H.
Jew St. BN1 7 E.
John St,
 Brighton. BN2 7 G.
John St,
 Shoreham. BN43 16 B.
Johns Clo. BN10 27 F.
Jubilee Mews. BN1 7 F.
Jubilee Rd. BN41 18 B.
Jubilee St. BN1 7 F.
Julian Rd. BN3 20 D.
Junction Rd. BN1 7 F.
Juniper Clo. BN41 10 D.
Juniper Walk. BN43 17 E.

Kelly Rd. BN3 20 B.
Kemp St. BN1 7 E.
Kendal Rd. BN3 19 F.
Kenilworth Clo. BN2 14 D.
Kenmure Av. BN1 13 F.
Kensington Gdns. BN1 7 E.
Kensington Pl. BN1 7 E.
Kensington St. BN1 7 E.
Kent Clo. BN43 17 F.
Kenton Rd. BN3 18 D.
Kenwards. BN1 14 B.
Kestrel Clo. BN3 20 B.
Kevin Gdns. BN2 23 G.
Kew St. BN1 6 D.
Keymer Av. BN10 27 F.
Keymer Rd. BN1 13 G.
Kimberley Rd. BN2 21 G.
King George Rd. BN43 19 F.
King George VI Av.
 BN3 12 A.
King George VI Dri.
 BN3 12 A.
King Pl. BN1 7 E.
Kingfield Clo. BN42 17 G.
Kings Clo. BN10 27 E.
Kings Cres. BN43 16 A.
Kings Dri. BN43 16 A.
Kings Esplanade. BN3 19 G.

34

35

Nursery Clo,
  Shoreham. BN43   17 E4
Nuthurst Clo. BN2   22 B4
Nuthurst Pl. BN2   22 B4
Nutley Av. BN2   26 A3
Nutley Clo. BN3   11 G3
Nyetimber Hill. BN2   14 C5

Oak Clo. BN42   12 D5
Oakapple Way. BN42   17 G2
Oakdene Av. BN41   10 A3
Oakdene Clo. BN41   10 A4
Oakdene Cres. BN41   10 A3
Oakdene Gdns. BN41   10 A3
Oakdene Rise. BN41   10 A3
Oakdene Way. BN41   10 A3
Oaklands Av. BN2   26 A2
Old Barn Way. BN42   18 A4
Old Boat Walk. BN1   13 G1
Old Court Clo. BN1   13 E4
Old Farm Ct. BN43   16 A6
Old Farm Rd. BN1   13 E4
Old Fort Rd. BN43   16 C6
Old London Rd. BN1   12 D2
Old Mill Clo. BN1   12 D3
Old Parish La. BN2   23 F2
Old Patcham Mews.
  BN1   12 D2
Old Place Mews. BN2   25 F5
Old Shoreham Rd,
  Brighton. BN1   20A2
Old Shoreham Rd,
  Hove. BN3   19 G3
Old Shoreham Rd,
  Portslade. BN41   18 D3
Old Shoreham Rd,
  Shoreham. BN43   16 A3
Old Shoreham Rd,
  Southwick. BN42   17 F3
Old Steine. BN1   7 F5
Oldfield Cres. BN42   17 G4
Olive Rd. BN3   18 D4
Olivier Clo. BN2   21 G5
Onslow Rd. BN3   20 B1
Orange Row. BN1   7 E3
Orchard Av. BN3   19 G3
Orchard Clo,
  Shoreham. BN43   16 B4
Orchard Clo,
  Southwick. BN42   18 A4
Orchard Gdns. BN3   19 G3
Orchard Rd. BN3   19 G3
Orchid View. BN1   13 H2
Oriental Pl. BN1   6 B4
Ormonde Way. BN43   16 A6
Orpen Rd. BN3   20 B1
Osborne Rd. BN1   13 F6
Osborne Villas. BN3   19 G6
Osmond Gdns. BN3   20 C3
Osmond Rd. BN1   6 B1
Oval Clo. BN10   27 F2
Over St. BN1   7 E2
Overdown Rise. BN41   10 B3
Overhill. BN42   17 H2
Overhill Dri. BN1   13 E3
Overhill Gdns. BN1   12 D4
Overhill Way. BN1   13 E2
Overmead. BN43   16 B4
Ovingdean Clo. BN2   24 D1
Ovingdean Rd. BN2   24 C3
Oxen Av. BN43   16 B3
Oxford Mews. BN3   19 H4
Oxford Pl. BN1   7 F1
Oxford St. BN1   21 E3

Palace Pl. BN1   7 F4
Palmeira Av. BN3   20 B4
Palmeira Pl. BN3   20 B3
Palmeira Sq. BN3   20 B4
Pankhurst Av. BN2   21 G4
Parham Clo. BN2   21 H5
Park Av, Hove. BN3   19 E5
Park Av,
  Shoreham. BN43   16 D4
Park Av, Telscombe
  Cliffs. BN10   26 D3
Park Clo,
  Coldean. BN1   14 C3
Park Clo,
  Hangleton. BN3   11 F4
Park Clo,
  Portslade. BN41   10 D6
Park Cres,
  Brighton. BN2   21 F3

Park Cres,
  Portslade. BN41   18 A3
Park Cres,
  Rottingdean. BN2   25 F5
Park Cres Pl. BN2   21 F3
Park Cres Rd. BN2   21 F3
Park Cres Ter. BN2   21 F3
Park Gate. BN1   6 A1
Park Hill. BN2   21 F5
Park La. BN42   17 G4
Park Rise. BN3   11 F4
Park Rd,
  Coldean. BN1   14 C2
Park Rd,
  Rottingdean. BN2   25 F5
Park Rd,
  Shoreham. BN43   16 D3
Park Rd Ter. BN2   7 H3
Park St. BN2   21 F5
Park St North. BN1   15 G1
Park St South. BN1   15 G1
Park View Clo. BN10   26 D3
Park View Rise. BN10   26 D3
Park View Rd. BN3   19 H3
Park Way. BN42   17 H4
Park Way Clo. BN42   17 H3
Parker Ct. BN41   10 C5
Parklands. BN43   17 E4
Parkmore Ter. BN1   20 D2
*Parnell Ct,
  Medina Pl. BN3   19 G6
Parkside. BN43   16 D3
Paston Pl. BN2   21 H6
Patcham By-Pass.
  BN1   12 D2
Patcham Grange. BN1   13 E3
Patchdean. BN1   13 E3
Pavilion Bldgs. BN1   7 F4
Pavilion Par. BN2   7 F4
Pavilion St. BN2   7 F4
Payne Av. BN3   19 F4
Paythorne Clo. BN42   17 G2
Peace Clo. BN1   21 G1
Peacock La. BN1   12 D4
Peel Rd. BN2   22 B5
Pelham Clo. BN10   27 G3
Pelham Rise. BN10   27 F3
Pelham Sq. BN1   7 F2
Pelham St. BN1   7 F1
Pelham Ter. BN2   14 A6
Pembroke Av. BN3   19 G5
Pembroke Cres. BN3   19 G5
Pembroke Gdns. BN3   19 G5
Pendragon Ct. BN3   19 G4
Penhurst Pl. BN2   22 B4
Percival Ter. BN2   21 H6
Perry Hill. BN2   26 A1
Pett Clo. BN2   22 B3
Petworth Rd. BN1   13 G2
Pevensey Rd. BN2   21 G2
Phoenix Cres. BN42   17 G3
Phoenix Pl. BN2   7 G1
Phoenix Rise. BN2   7 G1
Phoenix Way BN42   17 G3
Phyllis Av. BN10   27 E5
Picton St. BN2   21 G3
Piddinghoe Av. BN10   27 G5
Piddinghoe Clo. BN10   27 G5
Piltdown Rd. BN2   22 B4
Pinfold Clo. BN2   23 G3
Pipers Clo. BN3   11 E4
Pitt Gdns. BN2   23 F2
Plainfields Av. BN1   13 F1
Plaistow Clo. BN2   22 B3
Pleyden Clo. BN2   22 B5
Plumpton Rd. BN2   21 G4
Plymouth Av. BN2   14 C6
Pond Rd. BN43   16 B4
Pool Pass. BN1   7 F5
Pool Valley. BN1   7 F5
Popes Folly. BN2   21 G2
Poplar Av. BN3   11 F3
Poplar Clo,
  Hangleton. BN3   11 F4
Poplar Clo,
  Preston. BN1   13 E6
Port Hall Av. BN1   20 C2
Port Hall Pl. BN1   20 C2
Port Hall Rd. BN1   20 C2
Port Hall St. BN1   20 C2
Portfield Av. BN1   13 F2
Portland Av. BN3   19 E5
Portland Pl. BN2   21 G6
Portland Rd. BN3   18 D4

Portland St. BN1   7 E4
Portland Villas. BN3   18 D4
Powis Gro. BN1   6 C2
Powis Rd. BN1   6 C2
Powis Sq. BN1   6 C2
Powis Villas. BN1   6 C2
Poyning Dri. BN3   11 G3
Poynter Rd. BN3   19 G3
Preston Circus. BN1   21 E3
Preston Drove. BN1   13 E6
Preston Park Av. BN1   20 D1
Preston Rd. BN1   20 C1
Preston St. BN1   6 B4
Prestonville Rd. BN1   20 D3
Prince Albert St. BN1   7 E4
Prince Charles Clo.
  BN42   10 B6
Prince Regents Clo.
  BN2   22 B5
Princes Av. BN3   19 G6
Princes Cres,
  Brighton. BN2   21 F2
Princes Cres,
  Hove. BN3   19 F6
Princes Pl. BN1   7 E4
Princes Rd. BN2   21 F2
Princes Sq. BN3   19 G5
Princes St. BN2   7 F4
Princes Ter. BN2   22 B5
Prinsep Rd. BN3   19 G3
Providence Pl. BN1   7 G1
Pulborough Clo. BN2   22 B3

Quarry Bank Rd. BN1   13 G6
Quebec St. BN2   7 H2
Queen Alexandra Av.
  BN3   12 A5
Queen Caroline Clo.
  BN3   11 H4
Queen Mary Av. BN3   12 A5
Queen Sq. BN1   6 D3
Queen Victoria Av.
  BN3   12 A5
Queens Gdns,
  Brighton. BN1   7 E3
Queens Gdns,
  Hove. BN3   20 A5
Queens Parade. BN3   11 F5
Queens Park Rise.
  BN2   21 G4
Queens Park Rd. BN2   21 F5
Queens Park Ter. BN2   21 G4
Queens Pl,
  Brighton. BN1   7 F1
Queens Pl,
  Hove. BN3   20 A4
Queens Pl,
  Shoreham. BN43   16 C4
Queens Rd,
  Brighton. BN1   6 D3
Queens Rd,
  Southwick. BN42   17 G2
Queens Rd Quad. BN1   6 C4
Queensbury Mws. BN1   6 C4
Queensdown
  School Rd. BN2   14 B5
Queensway. BN2   21 H4
Quernby Clo. BN43   17 F4

Radinden Dri. BN3   20 B1
Radinden Manor Rd.
  BN3   20 B2
Railway St. BN1   7 E1
Raleigh Clo. BN43   16 C4
Ranelagh Villas. BN3   19 H3
Raphael Rd. BN3   19 F5
Ravens Rd. BN43   16 B4
Ravensbourne Av.
  BN43   16 C3
Ravensbourne Clo.
  BN43   16 C3
Ravenswood Dri. BN2   23 H4
Rayford Clo. BN10   27 F5
Reading Rd. BN2   22 B5
Rectory Clo. BN43   17 F4
Rectory Gdns. BN42   17 G4
Rectory Rd. BN43   17 F4
Redhill Clo. BN1   12 B4
Redhill Dri. BN1   12 B4
Redvers Rd. BN2   21 G1
Reeves Hill. BN1   14 B2
Refectory Rd. BN1   15 F1
Regency Mews. BN1   6 C4
Regency Sq. BN1   6 C4

Regent Arc. BN1   7 E5
Regent Hill. BN1   6 C3
Regent Row. BN1   6 D3
Regent St. BN1   7 E3
Reigate Rd. BN1   20 C1
Reynolds Rd. BN3   19 F5
Richardson Rd. BN3   19 F5
Richmond Gdns. BN2   7 G2
Richmond Hts. BN2   7 G2
Richmond Par. BN2   7 G2
Richmond Pl. BN2   7 G2
Richmond Rd. BN2   21 F2
Richmond St. BN2   7 G2
Richmond Ter. BN2   7 G1
Ridge Clo. BN41   10 B3
Ridge Rd. BN1   15 G1
Ridge Vw. BN1   14 C2
Ridgeside Av. BN1   12 D3
Ridgeway. BN41   10 B6
Ridgeway Clo. BN41   10 B6
Ridgewood Av. BN2   26 A1
Ridgway Clo. BN2   23 F1
Ridgway Gdns. BN2   23 G3
Rigden Rd. BN3   20 B2
Riley Rd. BN2   21 G2
Ringmer Clo. BN1   14 C3
Ringmer Dri. BN1   14 D3
Ringmer Rd. BN1   14 C3
River Clo. BN43   16 B6
Riverside. BN43   16 C5
Riverside Rd. BN43   16 C5
Robert St. BN1   7 F3
Robertson Rd. BN1   20 C1
Robin Davis Rd. BN2   22 A1
Robin Dene. BN2   22 A5
Rochester Gdns. BN3   20 B4
Rochester St. BN2   21 G5
Rock Gro. BN2   21 H6
Rock Pl. BN2   7 G5
Rock St. BN2   22 A6
Roderick Av. BN10   27 F4
Roderick Av Nth.
  BN10   27 F3
Rodmell Av. BN2   26 A2
Roedale Rd. BN1   21 F1
Roedean Cres. BN2   22 C6
Roedean Hts. BN2   22 C6
Roedean Path. BN2   22 D6
Roedean Rd. BN2   22 B6
Roedean Ter. BN2   22 D6
Roedean Vale. BN2   22 D6
Roedean Way. BN2   22 D6
Roman Cres. BN42   17 G4
Roman Rd,
  Hove. BN3   18 D5
Roman Rd,
  Southwick. BN42   17 H3
Roman Way. BN42   17 G3
Romany Clo. BN41   10 D6
Romney Rd. BN2   25 G6
Romsey Clo. BN1   14 A5
Rookery Clo. BN1   20 C1
Ropetackle. BN43   16 B4
Ropewalk. BN43   16 B4
Rose Hill. BN1   21 F3
Rose Hill Clo. BN1   21 E3
Rose Hill Ter. BN1   21 E3
Rosebery Av. BN2   23 E1
Rosedene Clo. BN2   23 G3
Rosemary Clo. BN10   27 F3
Rosemary Dri. BN43   17 E2
Rosslyn Av. BN43   16 D4
Rosslyn Ct. BN43   16 C4
Rosslyn Rd. BN43   16 C4
Rothbury Rd. BN3   18 D4
Rotherfield Clo. BN1   13 H2
Rotherfield Cres. BN1   13 H2
Round Hay Av. BN10   27 H6
Round Way. BN1   14 C2
Roundhill Cres. BN2   21 F2
Roundhill Rd. BN2   21 F2
Roundhill St. BN2   21 F2
Rowan Av. BN3   11 F5
Rowan Clo. BN41   10 B5
Rowan Rd. BN2   25 E3
Rowe Av. BN10   27 E5
Rowe Av Nth. BN10   27 E4
Royal Cres. BN2   21 G6
Royal Cres Mws. BN2   21 G6
Royles Clo. BN2   25 F4
Rudyard Clo. BN2   23 G2
Rudyard Rd. BN2   23 G2
Rugby Pl. BN2   22 B6
Rugby Rd. BN2   21 E1

Rushlake Clo. BN1   14
Rushlake Rd. BN1   14
Ruskin Rd. BN3   19
Rusper Rd. BN1   14
Russell Cres. BN1   20
Russell Mews. BN1   6
Russell Pl. BN1   6
Russell Rd. BN1   6
Russell Sq. BN1   6
Rustic Clo. BN10   27
Rustic Pk. BN10   27
Rustic Rd. BN10   27
Rustington Rd. BN1   13
Rutland Gdns. BN3   19
Rutland Rd. BN3   19
Ryde Rd. BN2   19
Rye Clo. BN2   26
Ryelands Dri. BN2   14

Sackville Gdns. BN3   19
Sackville Rd. BN3   19
Sadler Way. BN2   22
Saffron Walk. BN43   17
St Andrews Rd,
  Portslade. BN41   18
St Andrews Rd,
  Preston. BN1   21
St Aubyns. BN3   19
St Aubyns Cres. BN41   18
St Aubyns Mead. BN2   25
St Aubyns Rd,
  Fishersgate. BN41   18
St Aubyns Rd,
  Portslade. BN41   18
St Aubyns Sth. BN3   19
*St Catherines Ter,
  Kingsway. BN3   19
St Cuthmans Clo. BN2   22
St Georges Mws. BN1   7
St Georges Pl. BN1   7
St Georges Rd. BN2   21
St Georges Ter. BN2   7
St Giles Clo. BN43   16
St Helens Cres. BN3   11
St Helens Dri. BN3   11
St Helens Rd. BN3   21
St Heliers Av. BN3   19
St Jamess Av. BN2   7
St Jamess Pl. BN2   7
St Jamess St. BN2   7
St Jamess St Mews.
  BN2   7
*St Johns Mews,
  Bedford St. BN2   21
St Johns Pl,
  Brighton. BN2   7
St Johns Pl,
  Hove. BN3   20
St Johns Rd. BN3   20
St Josephs Clo. BN3   19
St Julians Clo. BN43   17
St Julians La. BN43   17
St Keyna Av. BN3   17
St Laurence Clo. BN10   26
St Leonards Av. BN3   18
St Leonards Gdns.
  BN3   18
St Leonards Rd,
  Brighton. BN2   21
St Leonards Rd,
  Hove. BN3   19
St Louie Clo. BN42   10
St Lukes Rd. BN2   21
St Lukes Ter. BN2   21
St Margarets Pl. BN1   6
St Marks St. BN2   22
St Martins Pl. BN2   21
St Martins St. BN2   21
St Mary
  Magdalene St. BN2   21
*St Marys Mews,
  St Marks St. BN2   22
St Marys Pl. BN2   7
St Marys Sq. BN2   21
St Marys Rd. BN43   17
St Michaels Pl. BN1   6
St Michaels Rd. BN41   18
St Nicholas Rd,
  Brighton. BN1   6
St Nicholas Rd,
  Portslade. BN41   18
St Nicolas La. BN43   18
St Patricks Rd. BN3   19
St Pauls St. BN2   7

Peters Av. BN10 26 D4
Peters Clo. BN3 11 G5
Peters Pl. BN1 7 F1
Peters Rd. BN41 18 B5
Peters St. BN1 21 E3
Philips Mews. BN3 19 F5
Richards Rd. BN41 18 B5
isbury Rd. BN3 20 B4
tdean Dri. BN2 25 H6
tdean Pk Rd. BN2 25 H6
tdean Vale. BN2 26 A2
ndgate Rd. BN1 13 F6
ndhurst Av. BN2 23 F1
ndown Rd, righton. BN2 21 H3
ndown Rd, outhwick. BN42 17 G4
ndringham Clo. BN3 12 A5
ndringham Dri. N3 12 A5
nyhils Av. BN1 13 E1
unders Hill. BN1 14 B1
unders Park Rise. BN2 21 G1
unders Park View. N2 21 G1
xon Clo. BN2 25 H4
xon Rd. BN3 18 D5
xonbury. BN2 7 G3
xons. BN43 16 C2
arborough Rd. BN1 20 C1
hool Clo. BN42 17 G4
hool La. BN2 25 H5
hool Rd. BN3 19 F4
otland St. BN2 7 H2
ott Rd. BN3 19 F4
afield Rd. BN3 19 G6
aford Rd. BN3 18 C5
ahaven Gdns. BN43 16 A6
arle Av. BN10 27 H6
asaw Way. BN2 22 C3
aview Av. BN10 27 G6
aview Rd, eacehaven. BN10 27 H6
aview Rd, Woodingdean. BN2 23 E1
cond Av. BN3 20 A5
cond Rd. BN10 26 D5
fton Rd. BN41 10 A3
lba Dri. BN2 14 C5
lborne Pl. BN3 20 B3
lborne Rd. BN3 20 B4
lham Clo. BN1 14 B1
lham Dri. BN1 14 B1
lhurst Rd. BN2 23 G3
lmeston Pl. BN2 22 B4
lsey Clo. BN1 14 C1
lsfield Dri. BN2 14 B5
mley Rd. BN1 21 E1
velands Clo. BN2 22 B3
ven Dials. BN1 20 D3
ville St. BN2 21 G3
ymour Sq. BN2 21 G6
ymour St. BN2 21 G6
aftesbury Pl. BN1 21 E2
aftesbury Rd. BN1 21 E2
akespeare St. BN3 19 G4
anklin Rd. BN2 21 G2
annon Clo. BN10 27 E2
arpthorne Cres. BN41 10 D5
eep Walk. BN2 25 E4
eepbell Clo. BN41 10 D4
elldale Av. BN41 18 B4
elldale Cres. BN41 18 B4
elldale Rd. BN41 18 B4
elley Rd. BN3 19 F4
enfield Way. BN1 13 G6
epham Av. BN2 26 A2
epherds Cot. BN10 27 G2
epherds Croft. BN1 12 C4
eppard Way. BN41 10 C4
erbourne Clo. BN3 11 E4
erbourne Rd. BN3 11 E4
erbourne Way. BN3 11 F3
eriden Ter. BN3 19 G4
errington Rd. BN2 23 H2
ingle Rd. BN43 16 D5
ip St, Brighton. BN1 7 E5
ip St, Shoreham. BN43 16 B5
ip St Gdns. BN1 6 D5
Shipley Rd. BN2 23 G3
Shirley Av. BN3 12 B6
Shirley Clo. BN43 17 F3
Shirley Dri. BN3 20 A2
Shirley Rd. BN3 20 B2
Shirley St. BN3 19 G4
Shoreham By-Pass. BN43 16 A2
Shortgate Rd. BN2 14 D3
Sidehill Dri. BN41 10 B5
Sillwood Pl. BN1 6 B4
Sillwood Rd. BN1 6 B4
Sillwood St. BN1 6 A4
Sillwood Ter. BN1 6 B3
Silverdale Av. BN3 20 B3
Silverdale Rd. BN3 20 B3
Singleton Rd. BN1 13 F2
Skyline Vw. BN10 27 G2
Slindon Av. BN10 27 F6
Slinfold Clo. BN2 21 H5
Slonk Hill Rd. BN43 16 C2
Solway Av. BN1 13 E1
Somerhill Av. BN3 20 B3
Somerhill Rd. BN3 20 B4
Somerset St. BN2 21 G5
Sompting Clo. BN2 22 B3
South Av. BN2 21 G5
South Coast Rd. BN2 26 A3
South Rd. BN1 20 C1
South St, Brighton. BN1 6 D5
South St, Falmer. BN1 15 G1
South St, Portslade. BN41 10 C6
South Woodlands. BN1 12 D3
Southall Av. BN2 14 B6
Southampton St. BN2 21 F4
Southdown Av, Brighton. BN1 21 E1
Southdown Av, Peacehaven. BN10 27 G6
Southdown Av, Portslade. BN41 18 C3
Southdown Pl. BN1 21 E1
Southdown Rd, Brighton. BN1 21 E1
Southdown Rd, Portslade. BN41 10 C4
Southdown Rd, Shoreham. BN43 16 B4
Southdown Rd, Southwick. BN42 17 G4
Southern Ring Rd. BN1 15 F1
Southmount. BN1 21 F1
Southon Clo. BN41 10 A4
Southover St. BN2 21 F3
Southview Clo, Shoreham. BN43 17 E4
Southview Clo, Southwick. BN42 17 G3
Southview Rd, Peacehaven. BN10 27 F4
Southview Rd, Southwick. BN42 17 G3
Southwater Clo. BN2 21 G4
Southwick Sq. BN42 17 G4
Southwick St. BN42 17 H4
Spencer Av. BN3 11 E4
Spinnalls Gro. BN42 17 G4
Sports Centre Rd. BN1 15 E1
Spring Gdns. BN1 7 E3
Spring St. BN1 6 C3
Springate Rd. BN41 18 A4
Springfield Av. BN10 26 C4
Springfield Rd. BN1 21 E2
Stafford Rd. BN1 20 C2
Standean Clo. BN1 14 B2
Stanford Av. BN1 21 E1
Stanford Clo. BN3 19 H2
Stanford Rd. BN1 20 D2
Stanley Av. BN41 10 A3
Stanley Rd, Brighton. BN1 21 E3
Stanley Rd, Peacehaven. BN10 27 E2
Stanley Rd, Portslade. BN41 18 B3
Stanley St. BN2 7 H3
Stanmer Av. BN2 26 A1
Stanmer Av W. BN2 26 A1
Stanmer Pk Rd. BN1 13 G6
Stanmer St. BN1 13 G6
Stanmer Villas. BN1 13 G6
Stanstead Cres. BN2 23 H4
Staplefield Dri. BN2 14 C5
Stapley Rd. BN3 11 F6
Station App, Falmer. BN1 15 F2
Station App, Hove. BN3 19 H4
Station Rd, Portslade. BN41 18 C5
Station Rd, Preston. BN1 12 D5
Station Rd, Southwick. BN42 17 H5
Station St. BN1 7 E1
Steine Gdns. BN2 7 F4
Steine La. BN1 7 F5
Steine St. BN2 7 F5
Stephens Rd. BN1 14 A6
Stevens Ct. BN3 19 E4
Stevenson Rd. BN2 21 G5
Steyning Av, Peacehaven. BN10 27 F6
Steyning Av, Hove. BN3 11 G4
Steyning Rd, Rottingdean. BN2 25 F5
Steyning Rd, Shoreham. BN43 16 A1
Stirling Pl. BN3 19 G5
Stone St. BN1 6 C3
Stonecroft Clo. BN3 11 F3
Stonecross Rd. BN2 14 D3
Stoneham Rd. BN3 19 F4
Stonehurst Ct. BN2 21 G4
Stoneleigh Av. BN1 13 E2
Stoneleigh Clo. BN1 13 F2
Stonery Clo. BN41 10 B4
Stonery Rd. BN41 10 B5
Stoney La. BN43 17 F4
Storrington Clo. BN3 11 F4
Stringer Way. BN1 13 E5
Sudeley Pl. BN2 21 H6
Sudeley St. BN2 21 H6
Sudeley Ter. BN2 21 H6
Suffolk St. BN3 19 F4
Sullington Clo. BN2 14 D4
Sullington Way. BN43 16 D4
Summer Clo. BN41 18 B4
Summerdale Rd. BN3 11 F4
Summersdeane. BN42 17 H2
Sunninghill Av. BN3 11 F5
Sunninghill Clo. BN3 11 F5
Sunnydale Av. BN1 13 F2
Sunnydale Clo. BN1 13 F2
Sunset Clo. BN10 27 E2
Sunview Av. BN10 27 G6
Surrenden Clo. BN1 13 E4
Surrenden Cres. BN1 12 D5
Surrenden Holt. BN1 13 E5
Surrenden Pk. BN1 13 F5
Surrenden Rd. BN1 13 E5
Surrey St. BN1 7 E2
Surry St. BN43 16 C5
Sussex Pl. BN2 7 G2
Sussex Rd. BN3 19 G6
Sussex Sq. BN2 22 A6
Sussex St. BN2 7 G3
Sussex Ter. BN2 7 G3
Sussex Way. BN10 26 C5
Sutherland Rd. BN2 21 G5
Sutton Av. BN10 27 E5
Sutton Av Nth. BN10 27 E4
Sutton Clo. BN2 23 G1
Swanborough Dri. BN2 22 B2
Swanborough Pl. BN2 22 B2
Swanee Clo. BN10 27 G2
Swiss Gdns. BN43 16 B4
Sycamore Clo, Portslade. BN41 10 D4
Sycamore Clo, Woodingdean. BN2 23 H2
Sydney St. BN1 7 F2
Sylvester Way. BN3 11 E4
Symbister Rd. BN41 18 C4
Talbot Cres. BN1 14 B2
Tamplin Ter. BN2 7 G1
Tamworth Rd. BN3 19 F4
Tandridge Rd. BN3 19 E5
Tangmere Rd. BN1 13 F2
Tarmount La. BN43 16 C5
Tarner Rd. BN2 7 H3
Tarragon Way. BN43 17 E2
Taunton Gro. BN2 15 E6
Taunton Rd. BN2 14 D6
Taunton Way. BN2 14 D6
Tavistock Down. BN1 14 A6
Teg Clo. BN41 10 D4
Telegraph St. BN2 21 G6
Telscombe Cliffs Way. BN10 26 D4
Telscombe Pk. BN10 27 F2
Telscombe Rd. BN10 27 F2
Temple Gdns. BN1 6 B2
Temple St. BN1 6 B3
Tenantry Down Rd. BN2 22 A2
Tenantry Rd. BN2 22 A1
Tennis Rd. BN3 19 E5
Terminus Pl. BN1 7 E1
Terminus Rd. BN1 7 E1
Terminus St. BN1 7 E1
Thames Clo. BN2 7 H4
The Avenue, Moulsecoomb. BN2 14 B5
The Avenue, Shoreham. BN43 16 B3
The Beeches. BN1 12 C5
The Bricky. BN10 27 F3
The Brow. BN2 23 F1
The Burrells. BN43 17 E6
The Byre. BN2 23 F5
The Byway. BN1 14 C2
The Causeway. BN2 21 H4
The Cedars. BN10 27 F3
The Charltons. BN1 14 B1
The Cliff. BN2 22 C6
The Close, Shoreham. BN43 16 C4
The Close, Withdean. BN1 12 D3
The Compts. BN10 27 E2
The Crescent, Moulsecoomb. BN2 14 C5
The Crescent, Southwick. BN42 17 H3
The Crestway. BN1 14 A6
The Crossway, Portslade. BN41 10 B5
The Crossway, Preston. BN1 14 A6
The Curlews. BN43 16 D4
The Cygnets. BN43 16 C4
The Deeside. BN1 13 F1
The Dene. BN3 11 F4
The Deneway. BN1 12 D4
The Dewpond. BN10 27 E3
The Down. BN3 11 E3
The Drive, Hove. BN3 19 H5
The Drive, Shoreham. BN43 16 C3
The Drive, Southwick. BN42 17 G2
The Driveway. BN43 16 C3
The Drove, Falmer. BN1 15 G2
The Drove, Hove. BN3 20 B1
The Droveway. BN3 20 A1
The Esplanade. BN10 26 C5
The Finches. BN43 16 C4
The Gardens, Portslade. BN41 18 C3
The Gardens, Southwick. BN42 17 H5
The Graperies. BN2 7 H4
The Green, Rottingdean. BN2 25 F5
The Green, Southwick. BN42 17 G4
The Green, Tongdean. BN3 12 C6
The Heights. BN3 12 A4
The Herons. BN43 16 C4
The Highway. BN2 14 B5
The Hyde. BN2 22 C1
The Kestrels. BN43 16 C4
The Lanes. BN1 7 E4
The Linkway. BN1 21 F1
The Lookout. BN10 27 F1
The Lynchetts. BN43 16 C2
The Marlinspike. BN43 16 D5
The Martins. BN10 27 E2
The Martlet. BN3 20 B2
The Martlets. BN43 16 C4
The Meadows. BN3 11 E4
The Meads. BN1 14 B2
The Meadway, Shoreham. BN43 16 C6
The Meadway, Whitehawk. BN2 22 B4
The Moorings. BN43 17 E5
*The Old Riding Stables, High St. BN41 10 B5
The Orchard. BN43 17 E2
*The Orchard, Moulsecoomb Way. BN2 14 C4
The Paddock, Hove. BN3 20 B1
The Paddock, Shoreham. BN43 16 A3
The Parade, Hove. BN3 11 F5
The Parade, Westdene. BN1 12 B4
The Park. BN2 25 G5
The Parks. BN41 10 C4
The Promenade. BN10 26 D5
The Ridgway. BN2 23 F1
The Ridings. BN10 27 E2
The Rise. BN41 10 B4
The Rotyngs. BN2 25 E4
The Saltings. BN43 16 A6
The Sheepfold. BN10 27 F3
The Spinney. BN3 12 B5
The Sparrows. BN10 27 F3
The Square. BN1 12 D2
The Strand. BN2 24 A4
The Street. BN43 16 A3
*The Swallows, Ambleside Av. BN10 26 D5
The Twitten, Rottingdean. BN2 25 F5
The Twitten, Southwick. BN42 17 G4
The Upper Drive. BN3 20 B2
The Vale. BN2 24 D2
The Village Barn. BN1 12 D1
The Woodlands. BN1 12 D3
Third Av. BN3 19 H6
Third Rd. BN10 26 D4
Thompson Rd. BN1 21 G1
Thornbush Cres. BN41 10 D4
Thorndean Rd. BN2 14 B5
Thornhill Av. BN1 13 F1
Thornhill Clo. BN3 11 F4
Thornhill Rise. BN41 10 B3
Thornhill Way. BN41 10 B3
Thornsdale. BN2 7 G2
Thyme Clo. BN43 17 E3
Ticehurst Rd. BN2 22 C4
Tichbourne St. BN1 7 E3
Tidy St. BN1 7 F2
Tilbury Pl. BN2 7 G3
Tilbury Way. BN2 7 H3
Tilgate Clo. BN2 21 H4
Tillstone Clo. BN2 14 B5
Tillstone St. BN2 21 F5
Tintern Clo. BN1 21 F1
Tisbury Rd. BN3 19 H5
Titian Rd. BN3 19 F5
Tivoli Cres. BN1 20 B1
Tivoli Cres Nth. BN1 12 C6
Tivoli Pl. BN1 12 D6
Tivoli Rd. BN1 12 C6
Tollgate. BN10 27 E3
Tongdean Av. BN3 12 B5
Tongdean La. BN3 12 B4
Tongdean Rise. BN1 12 C4
Tongdean Rd. BN3 12 B5
Tophill Clo. BN41 10 B5
Tor Rd. BN10 27 F2
Tor Rd Nth. BN10 27 E2
Torcross Clo. BN2 22 B1
Toronto Ter. BN2 21 F4
Torrance Clo. BN3 11 G6
Totland Rd. BN2 21 G3
Tower Rd. BN2 21 G4
Towergate. BN1 12 D6
Trafalgar Clo. BN10 27 F3
Trafalgar Ct. BN1 7 F2
Trafalgar La. BN1 7 E2
Trafalgar Pl. BN1 7 E1
Trafalgar Rd. BN41 18 B3
Trafalgar St. BN1 7 E2
Trafalgar Ter. BN1 7 E2

NEWHAVEN

SEAFORD

Street	Ref.
Buckle Rise. BN25	30 B3
Buckthorn Clo. BN25	31 G4
Bydown. BN25	31 F3
Carlton Clo. BN25	30 C3
Carlton Rd. BN25	30 C3
Caroline Clo. BN25	30 C2
Chalvington Clo. BN25	31 E1
Chapel Clo. BN25	30 D3
Charles Clo. BN25	30 C2
Chartwell Clo. BN25	30 C1
Chatham Pl. BN25	30 D5
Chesterton Av. BN25	31 G4
Chesterton Dri. BN25	31 G4
Chichester Clo. BN25	30 D4
Chichester Rd. BN25	30 D4
Church La. BN25	30 D5
Church St. BN25	30 D5
Churchill Rd. BN25	30 C2
Chyngton Av. BN25	31 G3
Chyngton Gdns. BN25	31 G3
Chyngton La. BN25	31 H4
Chyngton La Nth. BN25	31 H4
Chyngton Pl. BN25	31 F5
Chyngton Rd. BN25	31 E5
Chyngton Way. BN25	31 G5
Cinque Ports Way. BN25	31 G3
Claremont Rd. BN25	30 C4
Clementine Av. BN25	30 B2
Cliff Clo. BN25	31 E6
Cliff Gdns. BN25	31 E6
Cliff Rd. BN25	31 E6
Clinton La. BN25	30 D4
Clinton Pl. BN25	30 D4
College Rd. BN25	30 D5
Connaught Rd. BN25	30 B4
Cornfield Clo. BN25	31 E4
Cornfield Rd. BN25	31 E4
Corsica Clo. BN25	31 E6
Corsica Rd. BN25	31 E6
Cradle Hill Rd. BN25	31 F2
Cricketfield Rd. BN25	30 D5
Crooked La. BN25	30 D5
Crouch La. BN25	30 D5
Crown Hill. BN25	30 D1
Cuckmere Rd. BN25	31 F5
Dane Clo. BN25	30 C5
Dane Rd. BN25	30 C5
Darwall Dri. BN25	31 F5
Deal Av. BN25	31 G2
Dean Rd. BN25	31 E5
Dover Clo. BN25	31 H2
Downs Rd. BN25	31 F4
Downsview Rd. BN25	31 E4
Duchess Dri. BN25	30 D1
Dukes Clo. BN25	30 C2
Dulwich Clo. BN25	31 F3
Dymchurch Clo. BN25	31 G3
Dymock Clo. BN25	31 H3
Earls Clo. BN25	30 B2
East Albany Rd. BN25	31 E4
East Dean Rise. BN25	31 F3
East St. BN25	30 D5
Eastbourne Rd. BN25	31 F4
Edinburgh Rd. BN25	30 C4
Eleanor Clo. BN25	30 C2
Elgin Gdns. BN25	31 H4
Elm Clo. BN25	31 H4
Esher Clo. BN25	31 E3
Esplanade. BN25	30 D5
Esplanade Mews. BN25	30 D5
Eton Clo. BN25	31 F3
Etherton Way. BN25	31 F3
Fairways Clo. BN25	31 G5
Fairways Rd. BN25	31 G5
Farm Clo. BN25	31 G3
Field Clo. BN25	31 G5
Findon Clo. BN25	31 H5
Firle Clo. BN25	30 D3
Firle Dri. BN25	30 D2
Firle Grange. BN25	30 D2
Firle Rd. BN25	30 D2
Fitzgerald Av. BN25	31 E5
Fitzgerald Park. BN25	31 E5
Flint Clo. BN25	30 D1
Folkestone Clo. BN25	31 G2
Foster Clo. BN25	30 D3
Friston Clo. BN25	30 B3
Gerald Rd. BN25	31 E6
Gildredge Rd. BN25	31 E4
Glebe Dri. BN25	30 D4
Grand Avenue. BN25	30 B2
Green La. BN25	30 D5
Green Walk. BN25	31 F5
Greenwell Clo. BN25	31 G3
Grosvenor Rd. BN25	30 C4
Grove Rd. BN25	30 D4
Guardswell Pl. BN25	30 D4
Hamsey La. BN25	31 H5
Harrison Rd. BN25	31 F3
Harrow Clo. BN25	31 F3
Hartfield Rd. BN25	31 E4
Hastings Av. BN25	31 G2
Haven Brow. BN25	31 F3
Hawth Clo. BN25	30 B3
Hawth Cres. BN25	30 B3
Hawth Gro. BN25	30 B3
Hawth Hill. BN25	30 B3
Hawth Park Rd. BN25	30 B3
Hawth Pl. BN25	30 B3
Hawth Rise. BN25	30 B3
Hawth Way. BN25	30 C4
Hazeldene. BN25	31 F4
Headland Av. BN25	31 E5
Heathfield Rd. BN25	31 E5
High St. BN25	30 D5
Highlands Rd. BN25	31 E4
Hill Rise. BN25	30 B2
Hillside Av. BN25	31 G2
Hindover Cres. BN25	31 F4
Hindover Rd. BN25	31 F3
Holters Way. BN25	30 D2
Homefield Clo. BN25	30 D3
Homefield Rd. BN25	30 D3
Hythe Clo. BN25	31 H3
Hythe Cres. BN25	31 G3
Hythe View. BN25	31 H3

INDUSTRIAL & RETAIL:

Street	Ref.
Cradle Hill Ind Est. BN25	31 G2
Isabel Clo. BN25	30 C2
Jevington Dri. BN25	30 B3
Jubilee Gdns. BN25	31 E2
Juniper Clo. BN25	31 G4
Kammond Av. BN25	31 G2
Katherine Way. BN25	30 C2
Kedale Rd. BN25	30 D3
Kimberley Rd. BN25	30 B4
Kings Ride. BN25	30 C3
Kingsmead. BN25	30 C3
Kingsmead Clo. BN25	30 D3
Kingsmead La. BN25	30 C3
Kingsmead Walk. BN25	30 D3
Kingsmead Way. BN25	30 D3
Kingston Av. BN25	31 G4
Kingston Clo. BN25	31 G5
Kingston Grn. BN25	31 G4
Kingston Way. BN25	31 G5
Kingsway. BN25	30 C3
Ladycross Clo. BN25	31 G5
Lansdown Rd. BN25	31 G2
Lexden Ct. BN25	31 F3
Lexden Dri. BN25	31 E2
Lexden Rd. BN25	31 F2
Lexden Way. BN25	31 E1
Lindfield Av. BN25	31 H5
Links Clo. BN25	31 F5
Links Rd. BN25	31 F5
Lions Pl. BN25	31 E5
Lower Drive. BN25	30 D3
Lucinda Way. BN25	31 E2
Lullington Clo. BN25	31 G5
Mallett Clo. BN25	30 D5
Manor Clo. BN25	31 F4
Manor Rd. BN25	31 F4
Manor Rd Nth. BN25	31 G4
Marine Cres. BN25	30 D5
Marine Par. BN25	30 A3
Mark Clo. BN25	31 H5
Martello Mews. BN25	30 D5
Martello Rd. BN25	30 D5
Mason Rd. BN25	31 E3
Maurice Rd. BN25	31 E6
May Av. BN25	31 G5
Meadow Way. BN25	31 F4
Meads Rd. BN25	31 E4
Mercread Rd. BN25	30 D5
Middle Furlong. BN25	31 E4
Mill Dri. BN25	31 E4
Millberg Rd. BN25	31 G3
Milldown Rd. BN25	31 E4
Millfield Clo. BN25	31 F3
Monarch Gdns. BN25	31 F2
Morningside Clo. BN25	31 E3
Newhaven Rd. BN25	30 A2
Newick Clo. BN25	31 G5
Normansal Clo. BN25	31 E1
Normansal Pk Av. BN25	31 E2
North Camp La. BN25	31 E3
North Way. BN25	31 E2
Northcliffe Clo. BN25	31 E3
Northfield Clo. BN25	30 D2
Offham Clo. BN25	31 E2
Park Rd. BN25	30 C4
Parkside Rd. BN25	31 E4
Pelham Rd. BN25	30 D5
Perth Clo. BN25	31 G4
Pevensey Clo. BN25	31 G3
Pinewood Clo. BN25	31 E3
Pitt Dri. BN25	31 E3
Place La. BN25	30 D5
Poynings Clo. BN25	31 G5
Princes Clo. BN25	30 D3
Princess Dri. BN25	30 B2
Quarry La. BN25	31 E3
Queens Park Gdns. BN25	30 B4
Queensway. BN25	31 F2
Raymond Clo. BN25	31 F3
Regents Clo. BN25	30 D3
Richington Way. BN25	31 F3
Richmond Rd. BN25	30 D5
Richmond Ter. BN25	30 D4
Ringmer Rd. BN25	30 D5
Rodmell Rd. BN25	31 G5
Roedean Clo. BN25	31 E3
Romney Clo. BN25	31 G4
Rose Walk. BN25	31 E3
Rother Rd. BN25	31 F5
Rough Brow. BN25	31 F3
Rowan Clo. BN25	31 G4
Royal Dri. BN25	30 D1
Rugby Clo. BN25	31 F3
Rye Clo. BN25	31 G3
St Crispians. BN25	30 C4
St Johns Rd. BN25	30 D5
St Peters Clo. BN25	30 D3
St Peters Rd. BN25	30 D3
St Wilfreds Pl. BN25	31 F5
Salisbury Rd. BN25	30 D4
Saltwood Rd. BN25	31 G3
Sandgate Clo. BN25	31 G3
Sandore Clo. BN25	31 F3
Sandore Rd. BN25	31 F3
Sandringham Clo. BN25	31 F2
Saxon La. BN25	30 D5
Seafield Clo. BN25	31 G2
Seagrove Way. BN25	31 E1
Sheep Pen La. BN25	31 F4
Sherwood Rise. BN25	31 E3
Sherwood Rd. BN25	31 F3
Short Brow. BN25	31 E3
Silver La. BN25	30 B1
South St. BN25	30 D5
South Way. BN25	31
Southdown Rd. BN25	31
Sovereign Clo. BN25	31
Stafford Rd. BN25	30
Station App. BN25	30
Station Rd. BN25	30
Steyne Clo. BN25	31
Steyne Rd. BN25	30
Steyning Clo. BN25	31
Steyning Rd. BN25	31
Stirling Av. BN25	31
Stirling Clo. BN25	31
Stoke Clo. BN25	31
Stoke Manor Clo. BN25	31
Stonewood Clo. BN25	31
Surrey Clo. BN25	30
Surrey Rd. BN25	30
Sutton Av. BN25	31
Sutton Croft La. BN25	31
Sutton Drove. BN25	31
Sutton Park Rd. BN25	31
Sutton Rd. BN25	31
Sycamore Clo. BN25	31
The Boundary. BN25	30
The Byeways. BN25	30
The Causeway. BN25	30
The Close. BN25	30
The Covers. BN25	30
The Holt. BN25	30
The Peverells. BN25	30
The Ridgeway. BN25	31
The Ridings. BN25	31
The Shepway. BN25	31
Tudor Clo. BN25	30
Upper Belgrave Rd. BN25	30
Upper Chyngton Gdns. BN25	31
Upper Sherwood Rd. BN25	31
Vale Clo. BN25	31
Vale Rd. BN25	31
Valley Dri. BN25	31
Valley Rise. BN25	31
Vicarage Clo. BN25	31
Victor Clo. BN25	31
Walmer Rd. BN25	31
Warwick Rd. BN25	30
Wellington Pk. BN25	31
Went Hill Pk. BN25	31
West Dean Rise. BN25	31
West St. BN25	30
West View. BN25	30
Westdown Rd. BN25	30
Whiteway Clo. BN25	30
Wilkinson Way. BN25	30
Willow Dri. BN25	31
Wilmington Rd. BN25	30
Winchelsea Clo. BN25	31